예술적으로 바라보기

예술적으로 바라보기

이성모

반항서재

이온유에게

이렇게 세상을 바라보니 많은 게 달리 보였어.

마구 뛰어 세차게 횡단보도를 건너 손을 연신 흔들었다.

'아 저거 놓치면 30분 기다리는데'

무인도에 표류한 사람이 하늘에 떠가는 비행기를 향해 간절히 손을 흔들 듯 난 그렇게 저 멀리 보이는 버스에 나의 존재를 알렸다. 그리 간절해 보이지 않았나 보다. 그냥 스윽 지나간 걸 보면. 아무튼 이놈의 1301번. 정말이지 몇 대 안 다녀서 너무나 불편하다.

살짝 허탈하여 도로를 등지고 정류장 의자에 앉아 옆벽에 기대니 테이크아웃 전문 카페가 보였다. 그 카페 창가 안 (누가 봐도 앳된) 한 학생도 함께. 뚱한 표정으로 벽에 기대어 무심하게 스마트폰만 들여

다보고 있다. 손님이 없으면 가게 안팎 주변 청소를 하거나 미리 재료 손질을 해놓거나 할 수도 있을 텐데. 2~30분마다 한 번씩 오는 1301번 버스를 기다리는 동안 그 카페에는 단 한 명의 손님도 없었으며 그러므로 그녀도 단 한 번의 움직임이 없이 동일한 자세로 있었다. 마네킹처럼.

키오스크로 커피를 주문하고 나서 그 커피를 받을 때가 되어서야 이 학생의 목소리를 들을 수 있었다. 그 학생이 얘기해야 할 만한 모든 걸 이 기계가 대신 다 물어봐 주기 때문이다.

그 학생은 아까 내가 처음 그녀를 처음 보았을 때의 그 뚱한 표정으로 말했다.

"빨대 챙겨드릴까요?"
"아니요. 저 빨대 안 써요"
하자
"우와. 환경오염을 생각하시는구나. 맞아요 맞아요, 이거 쓰지 말아야 돼요. 사실 컵에 입대고 마시는 게 커피 향도 살짝 음미하면서 먹게 되고 더 좋아요. 아아(아이스 아메리카노)도 커피 향이 충분히 나거든요."

얘기가 무척이나 하고 싶었나 보다 싶었다. 난 그저 '빨대를 쓰지 않겠다'는 딱 한 마디를 했을 뿐인데. 길지만 전혀 밉지 않았던 그녀의 이 얘기로 이 학생이 달라 보였다. 얘기를 들으며 내가 살짝 둘러본 그 가게 안은 깨끗했고, 그 학생의 주변도 깔끔했다. 싱크대도. 커피 머신기 주변도. 하다못해 커피를 주고받는 중간 창의 틀 사이까지 먼지 한 톨이 없었다.

그래. 아무리 아르바이트 학생이라지만 사장도 아닌 저 친구가 왜 내내 일만 하고 있어야 하지? 새벽부터 일찌감치 와서 자신이 해야 할 모든 일들을 완벽히 해놓고 아깐 잠시 쉬고 있었던 거네. 대학생인 것 같은데 이렇게 아침부터 일찍 와서 일하다가 오후엔 학교에 가겠지. 대단하다. 하루를 어떻게 쪼개서 사는 거야. 나도 저 나이 때 저렇게 살았나. 그러고 보니 그제야 계산대 앞 그 학생의 것으로 보이는 책이 눈에 띄었다. 공학책 같았는데 시간표 같은 게 붙어있었다. 그리고 과목명들 아래로 똑같은 글자들이 채워진 게 내 눈에 들어왔다.

'알바', '알바', '알바', '알바'…

한 개만 먹은 편의점 삶은 계란과 흰 우유. 저걸로 아침을 때운 건가. 그녀의 시간과 씀씀이와 남모를 노력과 이 가게에서의 헌신을 시작으로 '요즘 대학생들의 삶'에서부터 '우리 사회가 청년을 바라보는 시각'까지 생각이 뻗치려는데 멈춰졌다. 생각이 멈춘 건 아까 나를 멈춰 세운 쟤다, 1301번 버스.

가만히 바라보고 있으면, 유심히 바라보고 있으면,
그의 또는 그녀의 또는 그것의 삶과 역사를 생각하며 바라보면
보이지 않던 것이 보인다.

　미술관에 가면 우리는 흔히 이런 눈과 귀, 마음으로 미술 작품들을 본다. 그것은 유형의 것이나 살아있지 않아서 도저히 우리에게 적극적으로 와주지 않으니 우리가 움직일 수밖에. 난 이렇게 그를, 그녀를 또는 그것을 바라보는 걸 '예술적으로 바라본다'라고 표현하고자 한다. 보이지 않는 걸 보게 만들어준 이 표현을 생활화하면 실로 새로운 세상이 펼쳐질 수 있을지도 모른다고, 난 그렇게 믿는다.

　예술적으로 바라본 내 주변, 그리고 내가 느낀 그들과 그것들에 대한 역사와 가치를 아래의 글들을 통해 내 머리와 마음속, 이 우주에 기록해놓고자 한다.

차 례

전반전 :

예술적으로 바라본 내 과거와 시도

내 과거를 바라봅니다.
단편적인 기억들이 사진처럼 남아있으나
마음속, 기억 속 사진을 유심히 바라봅니다.

예술적으로 바라보니
그냥 과거의 기억이 아닌,
지금의 '나'가 보였습니다.
신기했습니다.

또

내가 저지른 일들, 무모한 도전과 시도들도 바라봅니다.
죽기 전에 이건 해보고 가야지 싶은 건
저는 꼭 해야 직성이 풀리는 사람이었습니다.
저지르고 싶었던 것들을 많이 저질렀고
앞으로 그럴 겁니다.

이 모든 소중한 파편들을 예술적으로 바라보고자 합니다.

내가 어린 시절에도 우리만의 '김민기'가 있었다.

내가 초등학교 1학년 때 (내가 들어갈 땐 '국민학교'였다.) 학교에서 나눠주는 빵과 우유를 먹고 싶으면 돈을 내야 했다. 엄마는 당시 '꼭 먹어야겠느냐'고 내게 물으셨고, 난 빵이랑 우유가 뭐가 그리 맛있냐고, 난 안 먹어도 된다고 거짓말로 대답했다. 그걸 곧이곧대로 믿으시다니...

'아니 오마니... 빵이랑 우유를 싫어하는 아이가 대체 어딨습니까...'

더 어이가 없는 건 어느 날 문득 엄마와의 대화에서 내가 이 얘기를 했더니 당신은 절대 그런 적이 없으시다며 기억나지 않으신단다. 그럴 수도 있지... 우리 엄마 낼모레 칠순이시다. 60여 년 전 일인데 그럴 수도 있다.

빵만 선택을 하거나 또는 우유만 선택을 하는 경우도 허락되었다.

둘 다 선택하는 부잣집 친구들이 부러웠는데 둘 다 선택해서 그걸 안 먹고 남겨서 다음날 두 개가 되고 그다음 날에는 세 개가 되는 친구들을 보면 마치 권력을 쌓아가는 것 같기도 했다. 그 쌓인 빵으로 얄밉게 빵 파티를 하면서 주변에서 부러워하는 친구들을 살피지 않던 몇몇 얼굴들은 아직도 사라지지 않고 기억 속에 있다.

학교에 수영부가 생긴다는 내용이 담긴 갱지가 게시판에 붙은 걸 봤다. 유치원 시절 엄마를 따라 백화점 수영장에서 수영을 배운 터라 할 줄 알았지만 딱히 관심은 없었다. 그런데 수영선수가 되면 그 빵과 우유가 '자동 제공'된다는 혜택이 방송으로 나오자 마치 마트 정육 코너에서 다 구워진 시식용 삼겹살 앞에 모여들 듯 스르륵 수영 담당 선생님(당시 설길태 선생님이라는 분이셨다.) 앞에 여러 명의 친구들과 내가 함께 서 있었다.

"어머니 도장 받아와!"

"네!"

난 엄마의 화장대 서랍장을 뒤져 나온 어떤 도장을 가정통신문에 대충 찍고 다음 날 학교에 제출했다. 그날 오후 학교에 남겨져서 달리기와 공 던지기 같은 체력측정을 했고 일주일 이후 즈음 '인천 대정 수영부'라고 등에 적혀있는 트레이닝복을 선물로 받았다. 그 트레이

닝복을 입고 집에 나타나자 엄마가 이 옷이 뭐냐고 물으시기에 대답했다.

"엄마. 나 학교 대표 수영선수가 됐어!"

"......."

그렇게 내가 내 멋대로 부모님과 상의 없이 된 수영 선수이니 엄마는 냉철하게 '네 결정에는 네가 책임져야지?'하며 냉혹하게 이 세상을 살아가는 방법을 전수하셨다. 내가 수영부에서 불합리한 일을 당하고 있어도, 내가 학년 주장일 때 같은 학년 동기와 갈등을 겪고 있어도 절대 개입하시지 않으셨다. 거참... 지금 생각해도 너무 냉철하시다.

그래서 난 세상 돌아가는 걸 다른 친구들보다는 좀 더 빨리 알았다고 생각한다. 이렇게 시작한 수영선수로 학교생활을 하면서 다양한 경험을 했고, 다양한 상황을 만났다. 가진 자와 그렇지 못한 자의 특권의 배분을 경험했는데 예를 들면 이런 거다. (지금은 이런 일이 절대 없을 거라고 생각하지만 그땐 있었다.) 수영장에 많이 찾아오시는 부모님들의 자녀들은 그 누구보다 감독님과 코치님의 관심과 사랑을 더 받았다. 인천 부평에서 멀리 서울 안국동으로 회사를 다니시던 아버지와 대회 출전 당일이 아니면 수영장에 거의 오시지 않으셨던 어머니를 둔 나는 당시에는 좀 섭섭했다. '좀 오셔서 다른 엄마, 아빠들

처럼 떡볶이도 좀 사주시고, 빵이랑 우유도 좀 쏘시고 그러시지말이
야.'하고 생각한 적 솔직히 있다.

그런데 단지 내가 느끼는 부러움에서 그치는 문제가 아니었다. 이
런 부모님들의 현장 방문은 감독님, 코치님께서 짜시는 대회의 선수
출전 전략에 상당한 영향을 주었다. 3학년이던 어느 날 '아.. 올해는
다른 학교 동료들이랑 우리 학교 멤버들 상황을 볼 때 내가 그래도 2
~3등은 너끈히 하겠군'싶었는데 코치님이 나를 따로 부르시더니

"성모는 이번에 배영으로 한번 출전해 보자!"

"네? 배영이요?"

난 자유형 종목에 특화되어 있었고 오래도록 자유형을 준비했다.
초등학교 3학년, 단언컨대 우리 학년에서 내가 가장 잘했다. (당시 나
와 수영선수를 같이 했던 그 누구든, 나의 이 생각에 반대하는 멤버,
누구든 내게 연락해라. 내게 증거가 있다.) 갑자기 대회를 2주 앞두고
급 종목을 바꿔 출전하라는 코치님의 말씀에 난 대꾸하지 못했다. 나
대신 자유형 출전 자리를 꿰찬 친구의 부모님은 뜨거운 여름이면 시
원한 수박과 아이스크림을, 추운 겨울에는 호빵을 잔뜩 사다 주신 분
이셨기에 난 항의하지 못했다.

4학년 때도, 5학년 때도 난 늘 메달 가능성이 높은 내 주 종목 출전
기회를 번번이 다른 동기들, 또는 후배에게 내어줘야 했고, 나 대신

좋은 배정을 받아 메달을 목에 건 동기, 후배들의 공통점은 모두 수영장에 자주 찾아와 돈을 쓰고 가신 부모님들의 자녀들이라는 거였다. 화가 났지만 부모님께는 말씀드리지 않았다. 수영선수를 하겠다고 결정한 건 오직 나 혼자였으니까.

코치님은 6학년 때 대회에 나가 메달을 따면 운동으로 중학교에 가는 게 큰 문제가 없으니 걱정 말라고 하셨지만 나와 부모님의 생각은 달랐다. 마지막 남은 기회에 또 메달을 놓치면 그땐 되돌릴 수 없으니 그냥 운동을 멈추고 늦게나마 공부를 시작하자고. 그렇게 5학년 2학기를 마치고 미련 없이 운동을 그만뒀다.

그래서 난 사회에 불만이 많았다. 가진 자와 그렇지 못한 자가 겪는 상황이 다르다는 걸 너무 어린 나이에 알아버렸다. 빵과 우유 둘 모두를 신청할 수 있는 자가 갖는 여유로움에 대한 부러움을 너무 일찍 알았고, 둘 모두를 신청하지 못하고 부러움을 느끼면서도 그걸 내색하지 않는 친구들의 자존심도 너무 일찍 느껴버렸다. 나를 대하는 코치님의 표정과 늘 양손 무겁게 수박을 들고 수영장에 오는 어머님을 대하는 코치님의 표정은 달랐으며, 그 친구가 수영을 할 때와 내가 수영을 할 때 코치님의 가르침과 독려의 질과 양은 어린 내가 느끼기에도 너무나 달랐다. 실력으로 극복해 보리라 했지만 코치님이 가진 권한, 권력, 결정권 등은 내가 가지고 있는 옵션들에 비해 그 수준이 너무도 달랐다.

그래서 난 늘 화가 나고 답답했다. 세상을 살아가는데 내 마음을 대변해 주는 그 무언가가 없었다. 그렇게 수영을 미련 없이 그만두고 난 중학생이 되었다. 그냥 중학생이 아니고 '사회에 불만이 많은 중학생'이 된 것이다. 이런 답답한 내 마음을 대변해 주는 가사가 있었으니

아 니가 니가 니가 뭔데
도대체 나를 때려 왜 그래 니가 뭔데
힘이 없는 자의 목을 조르는 너를 나는 이제
벗어나고 싶어 싶어 싶어!
그들은 날 짓밟았어 하나 남은 꿈도 빼앗아 갔어
그들은 날 짓밟았어 하나 남은 꿈도 다 가져 갔어

이 노래 가사들을 보며 '뭐가 그렇게 사회에 불만이 많으냐.'며 핀잔했고, 어린 너희들이 이 세상에 대해 뭘 아느냐며 비아냥 거리는 어른들의 평가들이 있었다. 그래. 그럴 수 있다. 변진섭과 이문세 노래를 듣던 우리의 엄마 아빠 세대들은 이들의 노래 가사가 건방지다 느꼈을 거다.

당시에 이 노래는 그냥 단순한 신인 보이그룹의 데뷔곡이 아니었다. 지금 생각해 보면 옳지 않은 방향으로 세상이 변해가고 있다는 것을 인식하고 있던 건 오직 그들과 그들을 제작한 제작자, 예술가들이

었다고 생각한다.

　잘 생긴 외모와 뛰어난 춤 솜씨 등 겉모습만 화려하게 갖춘 건 아니었다. 그보다 몇 년 앞서 나온 '서태지와 아이들'도 같은 결의 이야기들을 그들의 가사와 퍼포먼스에 담았다. 예술은 현실과 현재를 반영한다고 했다. 그래 그들이 보기에도 우리 사회는 문제가 많았던 거다.

　또 그들은 사회에 비판만 늘어놓지 않았다. 우리를, 소외받은 사람들을 위로해 주기도 했다.

난 몰랐어. 그렇게 아파했던 네 작은 가슴으로
어떻게 그 모든 걸 이겨냈었는지
나를 둘러싼 많은 바램들도 나를 사랑했던
나의 사람들을 부러워했던 너를 이해할 수 없었어
그런 날 이제 용서해 줘
내가 필요할 때 항상 너의 곁에서 숨 쉬고 있을게
너를 사랑했던 모든 사람들처럼 널 지켜주겠어
힘을 내.
그래 넌 혼자가 아니야 내가 있잖아
단지 너에게 미래라는 건 알 수 없는 불투명한 꿈이라고
쓴웃음 짓던 네게 중요한 건
꿈보다 오늘을 살아간다는 것

내가 필요할 때 항상 너의 곁에서 숨 쉬고 있을게
너를 사랑했던 모든 사람들처럼 널 지켜주겠어
너를 위해서 많은 것들을 해줄 수 없겠지만
다만 널 아껴줄 수 있는 그 누군가 되고 싶은 거야

HOT라는 그룹의 '내가 필요할 때'라는 노래의 가사이다. 내게 아니 우리들에게 HOT는 그냥 단지 사라져버린 가수가 아니다. 각자 HOT를 기억하는 이들이 어떤 모습으로 그들을 마음속에 담고 있는지 모르지만 내게는 그렇게 남아있다.

'동반자'

한 시절을 힘겹게 함께 살아간 '동반자'. 나와 비슷한 나이의 그리 성숙되지 않은 몸과 마음으로, 그들이 세상에 던지기엔 꽤 커다란 이야기들을 담아 표현해야 했던, 당시 우리들의 '스피커' 역할을 묵묵히 수행했던 내 동반자들. 그래서 지금 10대들이 BTS에 열광하고 블랙핑크에 열광하는 이유를 공감한다.

어느 유튜브에서 어떤 젊은 학생이 HOT를 '잊혀진 옛날 가수'라고 얘기하는 걸 본 적이 있는데, 그래 그들에겐 그럴 수 있겠다. 그런데 내게는 그렇지 않다. 내게는 내가 하고픈 얘기를 이 세상에 외쳐준 내 은인이야. 그래. 바로 나야.

우리 엄마아빠 세대에게 양희은이 그랬던 것처럼. 김광석처럼. 김민기처럼.

내게는 HOT였다.

구닥다리 게임기? 아니 내 친구들

딱딱한 데, 투박한 데, 수십 년이 흘렀는데 아직도 잘만 돌아간다. 일본 사람들이 기계를 참 섬세하고 튼튼하게 잘 만드는 것 같다는 생각이 드는군. 가만히 보다 보니 80년대 후반에 나온 각그랜저처럼 뭔가 마니아적이라는 느낌이 들기도.

가만히 보고 있자니 저것의 일반적인 역사가 떠오르지 않을 리 없다. 그 역사는 어딘가에 기록, 소장되어 있지 않으나 그 탄생이 너무나 강렬했기에 내 기억 속에서만큼은 선명하다. 저게 온전히 내 소유가 되는 데는 상당한 시간이 걸렸다. 내가 중학교 2학년 때였으니까...

14살, 그러니까 29년 전, 당시 나에겐 사치가 아닌가 싶은 생각도 사실 했었다. 당시 20만 원짜리 장난감은 아주 비싼 고가의 장난감임에는 틀림없었다. 난 당당하게 600명 중 전교 267등 성적표를 아버지에게 들고 가 올해에 꼭 전교 100등 안에 들어갈 테니 '일단은 사 달라.'고 나름 합리적인 제안을 했다. 아버지는 일언반구 없이 '노', 그렇게 갖고 싶다면, '일단 사 줄 테니 한 달 용돈의 반―당시 한 달에 용돈 2만 원의 반, 즉 1만 원―을 20개월간 포기하라. 단, 만약 100등 안에 든다면 드는 순간 용돈은 정상 회복되며, 이후 100등 밖으로 다시 밀려나면 그날로 용돈의 50% 차감 정책은 부활된다.'는. 실로 사용자가 노동자와 임금을 협상하듯 그렇게 대화를 주도해 나가셨다.

그렇게 얻었으니 애틋하고 소중할 수밖에. 그래서 당시 진짜 열심히 공부했다. 긴축재정이 길어질수록 내 현실이 피폐해져 가고 있음을 느꼈기 때문이다. 그 나이임에도 난 가난에서 탈피하고 싶었다. 결국 약 10개월 후, 즉 두 번의 시험을 거쳐 정상화된 수준의 임금, 아니 용돈을 받을 수 있긴 했다. 비할 바는 아니지만 아이를 낳는 심정이란 게 이런 건가 생각하기도 했다. 또 지금에 비한다면 아파트 담보대출을 다 갚은 사람들의 기분이 어떤지를 아주 조금은 안다고 말하고 싶다.

  그 기계는 늘 내 옆에 있었다. 내가 혼자 함박웃음 지을 때도 게임이 잘되지 않아 아무도 없는 빈집에서 시원하게 눈치 보지 않고 욕을 내뱉을 때도 내 옆에 있었다. 가장 친한 친구들의 방문으로 같이 게임하며 방을 뒹굴며 깔깔댔던 그 시간들, 그 순간들. 그런데 영원했으면 했던 그 시간들은 군에서의 행군 간 주어지는 '잠깐의 건빵타임'처럼 순식간에 스쳐 갔다.

  곧 고등학생이 되어 아침에 일찍 학교에 가서 야간자율학습을 하고 학원을 들러 집에 오면 씻고 자기 바빴고, 대학 때는 고등학교 때보다 더 스펙터클한 생활들로 바빴다. 그러고는 군대로, 전역 후엔 직장 생활로 점점 소중한 그것은 내 우선순위에서 밀려났다.

  자식들을 모두 출가시키신 부모님께서 조금 작은 집으로의 이사를 위해 짐을 정리하시는 날, 어머니는 잠깐 '집엘 좀 들르라'고 하셨고 내가 집에 도착했을 때 과일이 가득 담긴 접시와 함께 그것이 담긴 구두 브랜드 '랜드로버' 쇼핑백을 내어놓으셨다.

"네가 저거 하면서 티비 앞에서 날뛰고 신경질 내고 웃고 떠들던 게 생각이 나서 버릴 수가 없더라. 오래돼서 아마 고장 났을 거야. 그치? 그냥 버릴까? 요즘에 뭐 이런 걸 가지고 놀고 그럴 나이도 아니고 옛날 기계라..."

"아녜요. 제가 가져갈게요"

"뭐 하려고? 옛날 거라 어디다 내다 팔지도 못할 것 같은데.."

"그냥요~"

집에 왔다. 먼지가 쌓인 기계와 선들을 하나하나 물티슈로 닦고, 게임 CD가 들어가는 곳을

혹 하고 불었다. 렌즈 쪽이 뽀얗게 변해 카메라 청소 솔로 살살 닦아주기도 했다.

'이제 한번 켜볼까...? 되려나...?'

지난 3월 봄, 몇십 년 전 내가 나온 고등학교 앞 할머니 떡볶이집. 시간이 지나 할머니의 딸에 이어, 그 딸의 딸, 즉 할머니의 손녀가 그 떡볶이집을 이어가고 있다는 이야기를 듣고 나서 부리나케 차를 몰았다. 떡볶이 한 접시를 시킨 후 내 앞에 온 떡볶이. 포크로 그 길쭉한 밀떡을 하나 찔러 입에 넣으려는, 입에 들어가기 전 바로 그 순간! 그 때의 그 기분 비슷했다.

기계에 전원을 연결하자 노란 불이 들어왔다. 장비에 문제가 없다

는 뜻이다. 심장이 두근거리는 소리가 내 귀에 들렸다. 하루에 한 시간이라는 당시 얼마 주어지지 않았던 사용 시간. 일명 '아부지대출'을 통해 구매해 근저당이 있긴 하나 온전히 내 소유의 내 물건인데 내 물건의 사용을 다른 이에게 허락을 받는다는 게 어이가 없기도 했다. 그러면서도 그 한 시간이 소중해 매번 두근거리며 잭을 연결하는 그 순간에는 무언가 설명하기 어려운 벅차오름이 있었다. 그런 마음들이 온전히 카피되어 내 눈빛은 중학교 2학년의 바로 그때 그 눈빛이 되었다. 그 눈빛으로 바라보는 지금의 내 TV. 천천히 TV모니터를 돌려 잭을 연결하면 난 당시 나를 흥분시켰던 그 게임들을 할 수 있다. 이 잭만 꽂으면. 잭을 꽂을 수 있는 포트가 보인다. 잭을 꽂아야지 하며 잭을 꽂으려는데! 아! 이런... 잭 타입이 맞지 않는다. 난 왼손에 노란색, 빨간색, 흰색 라인이 한데 모여진 두꺼운 줄을 들고 있고, TV의 모니터에는 'HDMI'라고 쓰여있는 포트들 밖에 없었다는... 아! 시발...

내 심장에는 이미 불이 붙었다. 그 누구도 날 멈추지 못한다. 아직도 그때를 생각하면 내가 왜 그랬을까 싶다. 그냥 TV의 뒷부분과 잭을 폰카로 찍어 전파사 같은 곳에 갔으면 될 일이다. 난 그게 뭐 그리 대단한 사고라고, 그 기계와 내 TV를 떼어 양팔에 끼우고 차에 실어 집 앞 '일렉트로 마트'라는 곳까지 간 건지. 지금 생각해도 대체 이해가 되지 않는다. 거기서 난 원치 않게 일약 스타가 되었다. 직원들이 너도나도 모여 그 기계를 신기하게 쳐다봤다. 만져도 되냐고 묻는 직원은 이미 내 기계를 만지고 있다. 사진 찍어도 되냐는 직원은 이미 폰카로 기계를 지향했다.

'나랑 당근 안 할래?'
'당근하면 얼마에 줄래?'

이 질문들은 내게 이렇게 들렸다.

'혹시 당신 아들 저한테 파실래요?'

'이게 지금 그래서 정상적으로 작동이 되긴 하냐.', '우리가 일단 되는지 안 되는지 한 번 테스트를 해보겠다.' 단언컨대 난 이렇다 저렇다 단 한마디도 하지 않았다. 그리고 20분이 지났을 땐 자기들이 신나서 내가 구매하지도 않은 연결 케이블과 젠더를 뜯어서 축구게임을 하고 있었다. 다른 직원들도 모여 팔짱을 끼고 구경을 했고. 난 또 그걸 '자기 아들의 축구시합 구경 온 인파들을 흐뭇하게 바라보는 마치 손흥민의 아버지 손웅정 씨'처럼 흐뭇하게 이 상황을 즐기며 바라봤다.
"(고) 유상철이 몸싸움이 진짜 좋아요!"
"황선홍이 주전입니다!"
하면서.

난 그날 집에 들어올 때 연결 케이블과 젠더를 들고 있었는데 결제를 한 기억이 없다. 그냥 줬나 보다. 아니면 추억 돋게 만들어 준 나를 향한 그들의 선물인지도. 기계를 멍하니 바라보면서 이런 혼잣말을 뱉었다.

"한 30년? 난 이렇게 변했는데 넌 어떻게 그대로냐... 부럽다야..."

기계 따위에게 부러움을 느끼다니.

예술적으로 바라보면 보이지 않던 것이 보인다. 실로 그것들을 중심으로 모여들었던 추억들이 기계 위로 솟구쳐 올랐다. 누가 먼저랄 것도 없이 학교가 끝나면 친구들은 '당연히' 우리 집으로 모여들었다. 어떤 규칙을 정하지도 않았는데 최대 2인이 할 수 있는 게임을 여러 명이 공평하게 나눠서 공평하게 게임했다.

그래. 그때 우린 '공평'하게 나눴다. 친구가 조금 더 해도 괜찮았고, 좀 덜 한 친구가 있으면 기꺼이 서로 양보했다. 게임을 안 할 때는 서로가 어떻게 하는지 지켜보면서 응원도 해줬다. 특별히 나보다 게임을 잘하는 친구가 부러웠으나 밉지 않았고, 나보다 못하는 친구를 놀려댔었지만 그 친구를 무시하지 않았었다. 그러면서 우리 엄마가 만들어준 계란 물 묻힌 식빵 토스트나 양이 엄청 많아서 우리 엄마가 나와 친구들을 위해 즐겨 사두셨던 양파링 과자를 먹었다. 게임만 양보한 게 아니라 그 토스트도, 그 양파링도 게임처럼 우린 그렇게 즐겼다.

지금의 나는 어떻게 변했지. 난 지금 그렇게 너그럽게 살고 있나.

매번 경쟁이지 않았나. 그 경쟁 속에서 뒤처지지 않으려고 나답지 않은 결정과 선택들을 해 오지 않았나.

'내가 한 번이라도 더 할래.'

'내가 더 먹진 못해도 너보다 덜먹게 되는 건 참을 수 없지.'

아...... 그래. 나 이렇게 살아왔어. 진짜 멋스럽지 못하게 변했다. 그 어떤 고생을 했더라도 잠시 그것과의 시간을 가지고 나면 머릿속도 가벼워지고, 웃고, 즐거웠었는데 지금의 나는 어떻게 변했지. 다음 날 머리가 아플 때까지는 소맥을 말아 마셔줘야 '아! 스트레스가 좀 풀린 것 같아' 싶다. 비싼 돈을 들여 저 멀리 외국의 해안가를 바라보며 평소 매운 걸 싫어하면서도 '칠리크랩'을 먹어줘야 '아! 나 좀 즐거운 것 같아' 싶고...

그냥 나이만 먹고 가만히 어른만 되었어도 본전인데 난 나이를 어떻게 먹어가야 하는지의 방향감각을 잃은 채 이리 치이고 저리 치여온 것 같아 혼란스러웠다. 내가 아닌 남의 시선을 의식하며, 내가 세운 기준이 아닌 남이 만들어놓은 기준에 맞춰서 그렇게 한정된 소중한 내 시간을 보내온 거울 속의 내가 보였다. 불쌍한 새끼.

그때 함께 게임을 하며 놀던 친구들이 떠올랐다. 그들의 목소리와 웃음소리가 귓가에 들리는 듯했다.

'건축학과에 들어갔던 재영이는 잘 있나.'

'기범이는 파일럿이 되겠다고 미국에 갔다고 들었었는데, 꿈은 이

뒀을까.'

'우현이는 진짜 이 농구게임을 잘했는데, 또 진짜 실제로 농구를 잘했어.'

'선주가 이 게임을 지고 나서 벌칙으로 탕수육과 짜장면을 사줬었는데.. 훔쳐 나온 엄마의 카드로',

'성태는 지금 즈음 무얼 하고 있을까. 그때 진짜 남자답게 잘생겼었는데.'

친구들이 궁금했다. 그 친구들도 변했겠지? 나처럼 멋없이 철없이 변하지 않고 다들 멋있는 그리고 좋은 성인들이 되어있겠지?

문득 기계에게 고마웠다. 욕심 없이 순수했던 그때의 그 시절 나 자신을 만날 수 있게 해줘서. 실패한 삶, 고장 난 삶은 없다고 믿기에 '어떻게 고쳐야지?'라는 걱정은 하지 않을 테지만. 그렇지만, 그래도 '너무 한 쪽으로 왔네. 이제 당분간은 반대 방향으로 좀 가봐야지.' 하며 깨달을 수 있었던 이유는 그것, 나에게 무척이나 소중했던, 내 보물이었던 그것, '플레이 스테이션1'이라는 게임기를 예술적으로 바라본 덕분이다. 예전의 그때로 돌아갈 순 없지만 더 멀어지지는 않게.

약 이십 년 만에 그 친구들에게 동시에 단체 문자를 보냈다. 이름을 검색해 문자를 보내는데 이런... 016도 있고, 011도 있다. 이렇게나 시간이 흘렀구나. 그렇지만 그냥 그 번호를 그대로 선택해서 문자를 보냈다.

'플레이스테이션 하게 모여!'

20분 후쯤에 답 문자가 왔다.

'그래! 양파링은 내가 사 갈게!'
눈물이 왈칵 났다.
고마워.

중학교 때 구매한 게임기 '플레이스테이션1' 모델이다.
아직도 잘만 돌아간다

구형 통기타? 아니 내 인연

난 공연기획자다. 그런데 내 책상 옆에는 늘 기타가 놓여있다. 여러 대의 기타를 가지고 있는데 그중 어느 한 기타는 늘 내 책상 옆에 둔다. 이십 년이 넘은 기타인데 수시로 닦고 가끔 기타를 치며 '김광석'의 '거리에서'를 부르거나 '윤도현'의 '가을 우체국 앞에서'를 부르기도 한다. 이 기타를 예술적으로 바라보다 보니 새록새록 소중한 기억들과 이 기타와의 인연이 함께 보인다.

호프집 서빙, 서점 책 진열, 사진관 필름 현상, 실내 인테리어 철거, 도로 차선 긋기, 웨딩촬영 보조, 라이브 카페 설거지, 세탁소 세탁물 배달 등 모두 다 내가 했던 아르바이트들이다. 공통점이 있다면 모두 다 내게 '당일 지급'을 해줬던 아르바이트들이었다.

난 대학 때 아르바이트를 많이 했다. 엄격한 아버지가 내게 주시는 용돈은 차비와 밥값 딱 그만큼이었기 때문이었다. (사실 지금의 시대를 살아가는 MZ 세대들에 비하면 이것도 굉장히 윤택한, 행복한 삶이라는 생각 분명히 있다. 훨씬 더 힘들게 지금을 살아가는 젊은 청년, 대학생들이 있다는 걸 난 잘 알고 있다.)

자꾸 아버지와 내 기억이 다른 부분이 있는데 아버지는 당시 내게 충분한 용돈을 주셨다고 생각을 하신다는 거다. 이 책에 다시 한번 말씀드리는데

'아버지. 아닙니다. 너무나 부족했어요.'

친구들이랑 놀러 갈 돈도 필요했고, 읽고 싶은 책이나 CD를 살 돈도 필요했다. 운동하고 나서 맥주도 시원하게 한잔 아니 여러 잔 마시고 싶고... 그땐 진짜 돈이 많이 필요했다. 난 돈이 고팠다. 그래서 소위. 닥치는 대로 아르바이트를 했다. 그리고 다양한 곳에서 크고 작은 돈을 받으면 무조건 10%를 떼서 계속 모았다. 내가 사고 싶은 것이 있었기 때문이다. (난 한번 꽂히면 그걸 갖고야 만다.)

사실 물욕이 딱히 없는 내가 당시 엄청 부러웠던 게 있었으니 당시 음악 동아리에서 한 선배 형님이 쓰고 있던 일본 야마하 브랜드의 그 기타가 너무도 갖고 싶었다. 그 선배님은 자신의 기타는 이제 구형이 되었으니 돈을 조금 더 모아서 더 좋은 기타를 사라고 권하셨지만, 아니. 난 오직 그 기타! 그 선배님이 쓰시는 거랑 똑같은 그 기타가 사고 싶었다.

지금이야 모든 걸 다 인터넷으로 구매가 가능하지만 내가 대학을 다니던 그 시절에는 기타를 사려면 낙원동 악기상가에 가야 했고 거기에 없는 모델은 그냥 못 사는 거였다. 난 내가 단골로 다니던 '세종 수제악기'의 사장님께 모델명을 적어드리고 이 제품이 구해지면 반드시 연락을 달라고 말씀드렸었다.

그러던 어느 날. 방학 때 일본으로 여행을 간 고등학교 동창에게 연락이 왔다. 그 친구로부터 자신이 있는 곳 매장에 내가 찾는 기타가 있다는 소식을 들었다.

"기타가 얼마니?"

"7만엔"

"7만 원? 오 대박. 엄청 싼데?"

"아니~ 일본 돈으로 7만엔, 엔! 한국 돈으로 한 75만 원 하겠는데?"

난 정중하게 그 친구에게 두 손을 모아 부탁했다. 내 모은 두 손을 그에게 보여줄 수 없다는 게 답답했다.

"형준아. 나 지금 두 손을 정중하게 모으고 있어. 느껴지니? 느껴지지? 부탁이야. 올 때 좀 사갖고 와줄 수 없니. 나 정말 살면서 너한테 이렇게 간절히 부탁한 적 없잖아. 그렇잖아. 부탁이야. 좀 사 와주라. 내가 잘할게."

완전 민폐다. 캐리어 안에 들어갈 리 만무한 그걸 들고 한국으로 들어오게 하는 게 진짜 너무나 미안했고 민망했다. 난 공항에서 무릎이라도 꿇고 절까지 할 수 있었다. 형준이는 자신이 결혼할 때 내가 무료로 축가를 해줄 것을 요구했고 난 당연히 약속했다. 또한 그 축가는 기존 가요가 아닌 내가 직접 작곡한 곡으로 불러줄 것을 요구했고 난 당연히 약속했다. 이 약속들을 듣고 그는 흔쾌히 내가 간절히 갖고 싶던 그 기타를 사서 가겠다고 대답했다.

형준이가 오는 날 공항에서 기타를 영접했다. 난 그를 꼭 끌어안은 채 최선을 다해 고맙다고 말했다. 그러고는 환율에 일부 비용을 얹어 80만 원이 담긴 두툼한 봉투를 그에게 내밀었다. 그는 봉투에서 10만 원을 꺼내 내게 다시 줬다. 내가 이유를 묻자 형준이가 조심스레 말했다. 박스째로 짐을 가져올 수가 없어 그걸 뜯어서 기타 가방에 옮겨 담는 과정에서 비닐을 뜯다가 기타 옆 9v 배터리를 넣는 뚜껑 옆에 살짝 스크래치가 났다는...

"아이고. 그 정도로 뭘! 기타 소리에 전혀 문제가 되지 않아! 게다가 눈여겨보지 않으면 잘 보이지도 않아!"

난 그 10만 원을 형준이의 가방에 다시 쑥 찔러 넣어준 후 기타 가방을 받아들었다. 그 기타의 모델명은 YAMAHA APX-4였다.

기타를 무척이나 잘 치던 그 선배님의 기타. 그 기타가 내 손에 들어왔다. 심장이 두근두근했다. 난 이 기타를 치며 마치 김광석이나 윤도현처럼 멋들어지게 노래를 부를 거라고 마음먹었다. 내 여자친구에게, 내 친구들에게, 아주 소수이지만 내 노래를 좋아하는 몇몇 소중한 분들에게. 그렇게 이 기타는 평생 내 옆에 남아 나와 함께 할 것이다. 이런 생각들로 머리와 마음속을 가득 채운 채 공항에서 학교로 향했다. 지하철 안에서도 누군가와 부딪힐까 그 기타를 앞으로 메고 품에 안은 채 조심조심 걸었다. 동아리방에 도착했다. 동아리방에 있던 기타들이 그렇게 후져 보일 수가 없었다. 기타를 가방째로 벽 한 귀퉁이에 세워두고 강의실로 향했다.

'곧 수업 시간이군. 수업을 듣고 얼른 와서 기타 튜닝하고 멋지게 연주해야지!'

수업 시간에 집중이 되지 않았다. 괜히 싱글벙글... 난 세상을 다 가진 것 같았다. 아. 설렌다. 나한테 올 때까지 그 얼마나 많은 과정이 있었나. 웨딩촬영보조를 하다가 반사판을 잘못 들어서 포토그래퍼 누나에게 쌍욕을 먹으며 서러웠던 기억, '빠루'로 실내 인테리어 철거를 하다가 합판 쪼가리가 튀며 얼굴에 상처가 나서 아팠던 기억, 호프집에서 서빙을 할 때 기본으로 나가는 홍합탕을 나르다가 손가락을 데인 기억, 도로에 줄긋기 아르바이트를 하면서 아저씨들과 새벽에 컵라면을 먹다가 뜨거운 물이 식어서 물에 불린 라면땅 과자 먹듯 씹어 먹었던 기억... 이 모든 기억들이 이 짜릿한 행복을 위한 추억들로 변모해갔다.

난 수업이 끝나자마자 동아리방으로 달려갔다.

'이제 드디어 너와 함께할 시간이야. 너를 품에 안고 김광석처럼, 윤도현처럼 연주해 주겠어!'

하며 동아리방에 도착했는데 문은 열려있고 아무도 없었다.

'아 이것들 진짜... 문단속 좀 잘 하고 다니라고 그렇게 얘기를 했건만...' 하면서 내 기타를 뒀던 곳을 보았는데...

'기타가...... 없다......!'

기타가 없어졌다. 몇 개월을 절실하게 찾아 헤매다가 내 절친의 고생으로 나에게 온 내 기타. 그 기타가 없어졌다. 누군가가 왔다가 잠깐 가져갔나. 난 동아리 멤버들에게 일일이 연락을 해 물었다. 이들은 그 기타의 존재 자체를 몰랐다.

동아리방 소파에 털썩 주저앉았다. 내 머리 뒤에서 불어오는 바람이 날카로웠다. 바람이... 바람? 창문이 열려있었다. 우린 노래를 하는 동아리. 타인들에게 방해가 될까 우린 창문을 닫고 노래를 불렀고 동아리 연습 중간에 쉬는 시간이 아니면 통상 창문은 늘 닫혀있는데... 창문이 열려있다.

왜 나는 널 혼자 두었던 걸까. 그냥 수업 때도 너를 데리고 같이 들어갈걸, 아... 내가 왜 너를 외롭게 두었던 걸까.

도무지 진정이 되지 않았다. 난 세상을 다 잃은 것 같았다. 아. 죽고 싶다... 네가 나한테 올 때까지 그 얼마나 많은 과정이 있었나. 웨딩촬영보조를 하다가 반사판을 잘못 들어서 포토그래퍼 누나에게 쌍욕을 먹으며 서러웠던 기억, 바루로 실내 인테리어 철거를 하다가 합판 쪼가리가 튀며 얼굴에 상처가 나서 아팠던 기억, 호프집에서 서빙을 할 때 기본으로 나가는 홍합탕을 나르다가 손가락을 데인 기억, 도로에 줄긋기 아르바이트를 하면서 아저씨들과 새벽에 컵라면을 먹다가 뜨거운 물이 식어서 물에 불린 라면땅 과자 먹듯 씹어 먹었던 기억... 이 모든 기억들이 이 절망과 악몽으로 변모해갔다. '아... 그때 형준이가 주던 그 10만 원이라도 받을걸. 그건 왜 다시 돌려줬을까...' 부끄럽게도 솔직히 이런 바보같은 생각도 했다. (형준아. 미안하다.)

먹던 사탕을 놀이터 흙바닥에 떨어뜨린 아이처럼 서럽게 울었다. 스무 살 넘어 처음으로 내가 흘린 눈물이다.

'아... 시발... 내 기타... 아니 이제 어느 도둑놈의 기타...'

또 일하고 또 돈을 야금야금 모아서 또 그렇게 사면된다고 마음먹으려 했으나 그게 잘되지 않았다. 잘 될 리가 있나. 아픔은 꽤 길게 갔다. 그렇게 2학년 1학기를 보내고 맞이한 여름 방학. 뜨거운 어느 여름, 'SK 스코피'라는 곳에서 땀을 뻘뻘 흘리며 아르바이트를 하고 있었다.

SK 스코피는 디지털카메라로 찍은 파일을 사진으로 인화해 주는 회사로서 SK의 계열사였다. 거기서 내가 하는 일은 디지털카메라를 쓰는 사용자에게 SK 스코피의 존재를 알리고 서비스 인화권과 인화 할인권 등을 제공하면서 SK 스코피 사이트에 회원가입수를 늘리는, 즉 고객을 개발하는 일이었다. 대기업 사무실인데 내가 일하던 그 책상은 창문을 통해 들어오는 뜨거운 햇빛이 얼굴을 때리는 하필이면 그런 자리였다.

"성모 씨. 왜 그래? 무슨 안 좋은 일 있어?"

"아닙니다. 없습니다. 왜 그러셔요?"

"아니 그냥... 나라 잃은 표정을 하고 있길래..."

아... 그런 표정이 나도 모르게 나왔을 지도 모르겠다. 아니, 모르긴 왜 몰라. 알지...

'난 기타를 잃어버렸잖아...'

나에겐 나라보다 먼저였던 내 기타. 난 그걸 잃어버렸지... 사소한 내 삶에서 문득문득 그 기타가 남아 나를 아프게 했다.

그러던 어느 날이다. 기타를 잃어버린 지 한 3개월 정도 됐을까. 낙원악기상가 '세종수제악기' 사장님에게 전화가 왔다.

"성모 씨! 잘 지내? 좋은 소식이 있어! 그 기타! 성모 씨가 찾던 그 기타가 중고로 들어왔어! 생각 있어요? 살 생각이 있으면 내가 따로 빼놓을게!"

그래. 뭐 새거면 어떻고 중고면 어떻냐. 내가 갖고 싶던 기타다.

"예. 제가 살게요!"

터덜터덜 낙원상가로 갔다. 세종수제악기 사장님은

"내가 싹 한번 닦아놨고, 기타줄도 마틴 제품으로 싹 갈아놨어! 자 한번 쳐봐!"

기타를 받아 들고 의자에 앉아 품에 안았다. 그런데! 기타에 9v 배터리를 넣는 구멍 옆에! 그 스크래치가 보였다. 전쟁 통에 잃어버린 내 아이의 등에 세모 모양 점이 있었는데, 수십 년 후 날 닮은 한 청년이 등을 보이며 세모 모양의 점을 내민다. 그 점을 발견했을 때의 마음이 이럴까.

'이거! 내가 잃어버렸던, 내가 도둑맞던 그 기타다!'

난 그 기타 매장 안에서도 눈에 눈물이 '꽝!' 맺혔다. 사장님이 깜짝 놀라시며 왜 그러냐 물으셨고 사장님께 자초지종을 말씀드리자 사장님께서도 별일이 다 있다며 깜짝 놀라셨다. 자신에게 20만원 만 달라며 이 좋은 기타를 넘겼단다. 내게 꽤 큰 비용을 붙여 팔 수 있겠다고 생각하며 본인도 신이 나셨었단다. 근데 내가 기타를 안고 울자 정말로 딱 20만 원만 받으시고 내게 기타를 넘겨주셨다.

"기타가 주인한테 가는 건데 내가 여기서 돈을 어떻게 버냐?"

지금 생각해도 참 좋은 사장님이다. 그것이 낡았어도, 그래서 제 역할을, 제 기능을 못하더라도 그것이 가진 역사가 내게 인상적이면 처분할 수 없는 법이다. 그 기타가 내게 그렇다. 내 노력과 희열, 열망, 절망과 아픔이 함께 묻어있는 그 기타. 영원히 내 옆에 두어야 하는 이유다.

아직도 그 기타는 내 책상 내 옆에
변함없이 있다.

참 멋들어지게 생겼다.

가장 안전한 나만의 스포츠카

　군 적역 후 입사한 공연제작사는 월급이 많지 않았다. 당시 내가 중위로 전역을 했는데 내가 초임장교 시절 소위 때의 월급보다도 작았으니 실로 알뜰하게 살지 않으면 안 되었다. 그런데 당시의 공연계를 고려했을 때 내가 있던 제작사는 그 작은 비용이더라도 따박따박 밀리지 않고 급여가 나온다는 것, 게다가 4대보험까지 되는 것만으로도 참으로 충분히 매력적인 곳이었다는 것을, 독립하고 나서 절실히 느꼈었다.

　그 시절 난 얼마 되지 않는 그 월급으로 생활을 하면서도 매월 오십만 원 정도의 적금을 했고 2년이 되자 천만 원 정도를 모을 수 있었다, 당시 내 나이 스물아홉 살. 난 반드시 서른 살 전에 스포츠카를 타고 싶었다. 드라마 '올인'에서 이병헌이 타던 스포츠카. 난 그 차를 타고 싶었다. 마음을 먹으면 시기의 문제이지 결국에는 저질러야 직성이 풀리는 나는 주변의 소개와 도움으로 캐피털로부터 일부 대출을 받은 후 내가 모아놓은 돈을 털어 이천오백만 원짜리 '벤츠 SLK'라는 차를 덜컥 샀다. (물론 중고였다. 그렇지만 그 차면 되었다.)

우리 아버지는 현대자동차에 근 20년 근무하신 분이시다. 자신의 아들이 사회생활을 하면서 돈을 모아 구매한 첫 자동차가 현대자동차가 아니라는 사실에 대해 당시 굉장히 섭섭해하셨던 기억이 난다. 근데 그건 그거고 내가 서른 살 전에 타보고 싶었던 차는 스포츠카, 이 차였고 나중에 언제든 우리 아버지가 만드는 데에 참여하신 현대자동차를 타면 그만이었다.

지금 봐도 참 멋지게 잘 빠졌다. 그때 정말 나 자신에게 얼마나 뿌듯했는지 모른다. 난 이 차에 이름을 붙여줬다.

'실베르크'

자동차 컬러가 은빛이었기에 '실버', 거기에 SLK라는 이름을 이어 붙여 'Silver + SLK'. 이렇게 난 이 차를 '실베르크'라고 불렀다. 나 아닌 내 회사 동료들, 친구들도 모두 다 '실베르크'라고 불렀다. 낭만적이지 않나. 나만 그렇게 생각하나. 그래도 상관없다. 내가 행복하고 만족하면 그만이다. 그런데 지금 나이 먹고 생각해 보니... 그래. 참 머릿속은 텅 비어있는 허영 가득한, 난 참 부족한 인간이었다. 그럼에도 이 차에 대한 감성과 감동은 잊을 수 없다. 차가 개성이 있었다. 스포츠 카라서 그런지 몰라도 무언가 독특한 특성을 가지고 있었는데 그 특성은 아래와 같다.

키를 꽂아 돌려 시동을 걸 때 들리는 굉음이 독특했다. 난 그 소리를 '잠에서 깨는 소리'라고 불렀었다. 일반적인 자동차가 '부릉!' 하며 시동이 걸린다 치면, 실베르크는 '콰르르르릉!' 하며 걸렸다. 마치 시동을 거는 내게 "주인님! 부르셨습니까?" 하는 것 같았다.

악셀을 밟아 속도를 올릴 때 들려오는 소리도 멋졌다. 일반 차량이 '부우우웅~' 하며 속도가 올라간다면 실베르크는 이런 소리를 냈다. '쿠아아아앙!' 마치 로케이 솟아오를 때 나는 그런 소리가 났다. 이전에 내가 타던 차들은 차 속도를 올리면 올릴수록 살짝 차가 떨리는 것이 내게 전달되며 마치 '어어어... 주인님. 대체 왜 이러세요?' 했는데, 실베르크는 나를 바라보며 '주인님! 오늘 한번 달리고 싶으십니까? 그럼 저를 믿으십시오!' 하는 듯 오승환의 직구처럼 묵직하게 달려나갔다.

정말 멋진 건 브레이크를 밟을 때였는데 일반 차량은 브레이크를 밟으면 어떤 소리가 난다는 느낌을 받지 못했는데 실베르크는 고속으로 달리다가 브레이크를 밟으면 속도가 순간적으로 줄어들며 '쿠우웅~ 샥샥샥샥샥!' 하는 멋진 소리를 들려줬다.

기가 막힌 차량이었다. 그런데 이 멋진 실베르크와의 인연은 그리 길게 가지 못했다. 입사 3년 후 대체 내가 뭘 할 줄 안다고 독립을 했는지 지금 생각해도 이해가 되지 않으나 여러모로 부족한 비용을 마련하기 위한 당시 방법은 실베르크의 처분밖에 없었다. 1년여 함께하던 이 차와 이별하던 그 순간을 나는 잊지 못한다. 저 멀리 멀어지는 실베르크가 정면 적신호에 브레이크등을 켜며 멈췄는데 마치 실베르크가 '주인님. 행복했습니다. 부디 건강하십시오.' 하면서 내게 눈을 깜빡이며 눈물짓는 것 같았다.

그렇게 난 실베르크를 잃고 한동안 자동차의 매력에 대해 무감각하게 살아갔다. 차는 차일뿐이지 뭐. 이동 수단일 뿐이었다.

그러던 어느 날.

2011년 여름, 아파트 단지 근처 주민센터에서 예비군 교육훈련을 받고 있었다. 낯설지 않은 얼굴이 보였는데, 중학교 동창인 친구 '정진상'이었다. (진짜로 이름이 '진상'이다.) 고등학교 때도 동네 운동장에서 농구를 하며 심심치 않게 만났던 터라 관계가 잘 유지되었던 좋은 친구다. 반가웠고 신나게 수다를 떨며 교육훈련을 마쳤다.

"성모야. 나 차 갖고 왔어. 데려다줄게. 타!"
"아냐~ 걸어서 금방인데 뭐. 나 가까워."
"야~ 그냥 타. 더워죽겠는데 타고 가라."
"그럴까... 그러자!"

그 친구의 차에 탔다. '투스카니'. 우리 아버지가 참 좋아하실만한 '현대자동차'였다. 평소에는 이 차에 관심이 전혀 없었는데 실베르크를 보낸 후 오랜만에 보는 '스포츠카'여서 그런지 뭔가 아련함이 있었다.
차 보조석에 탔다. 진상이가 키를 꽂아 돌렸고, 시동이 걸렸다. 시동이 걸렸는데......

"콰르르르릉!"

그 녀석이다. 분명 그 녀석이 내는 소리였다. '주인님! 접니다.' 하는 것 같았다. 반가웠다. 나는 진상이를 졸랐다.

"이 차 나줘라. 나한테 팔아라! 응?"

마침 진상이는 요리를 배우러 중국으로 떠날 참인데 차를 어떻게 해야 하나 망설이고 있었다고 했다. 여러모로 개조를 하면서 공들여 놓은 차라 중고차 시장에 그냥 팔고 싶지는 않았다고 한다. 집안에서 키우던 꽃을 동네 뒷산 바닥에 쏟아버리는 느낌이라나. 아무튼 참 독특한, 나만큼 낭만적인 자식이다.

"그래. 성모 너 해라. 너라면 내가 이 차를 넘길 수 있을 것 같다!"

그렇게 그 녀석이 다시 내게 왔다. 그때 당시 내가 느끼던 그 꿍음들을 그대로 안은 채. 그때보다 살짝 살이 찐 것 같기도, 좀 더 창백해진 채 그렇게 내게 왔다.

이 차는 오랫동안 나와 함께 했다. 실베르크가 가지고 있던 많은 특성들을 고스란히 안고 있었던 이 차는 폐차를 해야 할 상황에 놓였을 때에도 자신을 희생해 자신의 부품들로 수많은 차들을 살렸다고 했다.
마지막 가는 길도 멋졌던 녀석이다.

물론 다른 점이 있었다. 굉음만 그대로 일뿐 속도는……

당시 실베르크는 180km를 달릴 때도 '콰르릉' 소리를 내며 묵직하게 달려나갔다면, 다시 만난 이 친구도 '콰르릉'하며 묵직하게 달려나갔는데 속도 계기판에는 계기침이 '80km'를 가리키고 있었다는. 즉 이 차는 80km로 안전하게 달리고 있으나 마치 180km로 달리고 있는 것 같은 감성을 주는 실로 '괴물같이 안전한 차'였던 것이다. 진상이가 개조를 통해 만들고 싶은 차가 그랬다고 했다. 엄청난 속도감을 느끼게 하는 안전한 차. 기특하다 우리 진상이.

그러나 충분했다. 내가 실베르크에게 푹 빠졌던 이유는 그만이 들려줄 수 있는 멋진 '굉음'이었지 그 차가 갖는 실제 속도와 성능이 아니었다. 이성보다 '감성'이었던 셈이고, 현실보다 '환상'이었던 셈이다.

나이를 먹어가면서 점차 내게 '감성'을 주었던 것들이 하나둘씩 '실질적 필요성', '현실적 가치'라는 기준들에 근접하지 못하여 사라지고 있음을 느낀다. 그 감성들로 나를 표현하고 나를 유지하고 나를 사랑해 왔는데. 그렇기에 더 노력한다. 그런 것들이 더 내 주변에 오랫동안 머물 수 있도록. 더 이상 사라지지 않도록 말이다.

사람들이 나이를 먹어가면서도 계속 '건담'을 모으고, '에어조던 시리즈'를 모으고, '레고', '드래곤볼 피규어'를 모으는 이유가 그렇다.

그것들이 '나'였기 때문이다.

내 몸이 내게 보내는 신호

'내 이럴 줄 알았다.'

어김없이 극심한 발통증이 찾아왔다. 어제 치킨과 맥주를 먹을 때 '설마 오늘도 또 그러겠어?' 하며 시원한 맥주를 벌컥벌컥 들이켰었는데 여지없이 새벽에 눈을 떴다. 엄지발가락 옆이 지끈지끈 아프다. 걷기가 아니 발을 딛기조차 어렵다. 너무나 고통스러워 눈물을 질금질금 흘리면서 택시를 불러 기사님의 부축을 받아 겨우겨우 차에 올라타고 집 근처 병원 응급실로 갔다.

응급실에 가서 통증을 말씀드리니 스테로이드성 진통제를 놔주시고 피를 뽑아가신다. 주사를 맞은 후 잠시 응급실 침대에 그대로 누워 눈을 감는다. 진통이 가라앉으면서 아까 통증으로 고통받던 시간만큼 졸음이 몰려온다. 삼십여 즈음 잤나 자다가 눈을 뜨니 3시간이 지나 있다. 통증이 모두 가라앉았다. 가라앉은 정도가 아니라 언제 아팠었냐 싶을 정도로 통증이 없어졌다. 의사가 와서 피검사 수치를 보더니

"통풍인 거 같은데?"

그때가 6~7년 전이다. 난 그 '통풍'이라는 질병을 무시했다. 계속 그렇게 내 맘대로 먹고 마시고 그러다 통증이 극심하게 오면 응급실

에 가서 주사로 해결하는 일이 반복되었다. 자주 응급실에 방문하자 응급실 의사 선생님께서 대체 왜 외래진료를 받지 않느냐고 나를 나무라셨다. 왜 의사의 말을 무시하느냐 하시며. 난 '이렇게 그냥 살아가면 되지 않나' 싶은 마음이었으나 예의상 질문을 드렸다.

"어느 병원으로 가야 돼요? 내과 가면 되나요?"

"진짜 병원 가보시려는 거죠?"

"네. 진짜 갈게요."

"꼭 가세요. 안 그러면 진짜 골치 아파요. 나중에 투석해야 될 수도 있어요."

'투석?'

확 두려워졌다. 그동안은 그런 말씀이 없으시다가 갑자기 웬 투석? 진작 좀 말씀해 주시지.

"원래는 류마내과를 가야 되는데 근처에 류마내과가 잘 없거든요. 없으면 우선 정형외과를 가도 돼요. 쓰는 약이 비슷해요."

'오! 정형외과! 내가 또 정형외과라면 친한 의사 선생님이 계시지!'

"네. 꼭 가겠습니다."

내가 몸이 아플 때마다 물리치료 받으러 자주 갔던 정형외과에 갔다. 통증과 상황을 말씀드리니 통풍 수치를 확인해야 하니 피검사를 하자 하신다.

그리고 보게 된 피검사 결과 통풍 수치(요산 수치)를 보는데...

이런..... 정상이 5 정도. 난 9가 넘게 나온단다. 이 정도면 엄청 높은 상태라 하시며 빨리 큰 병원으로 가라고 하셨다.

"너 이러다가 클라(큰일 나). 반드시 약으로 조절해야 돼.
지금 이게 너 콩팥이 엄청 망가지고 있는 거야.
너 이러다가 나중에 진짜로 투석해야 돼."

친한 외과의사 선생님이 이렇게 말씀하시니 이젠 더 미룰 수가 없다. 고혈압 약은 먹기 시작하면 평생 끊을 수 없이 계속 먹어야 한다는 말씀을 들은 적이 있는데, 의사 선생님께서 말씀하시길 통풍약도 고혈압 약처럼 계속 먹으면서 수치를 관리해야 하는 그런 병이라는 말씀을 하셨다.

이 정도면 이건 정형외과에서 진료하기보다는 '류마내과에 반드시 가야 한다' 하시며 포스트잇 메모지에 병원명과 의사명을 적어주셨다. 선생님이 추천해 주신 병원은 '동국대학교 일산병원 류마내과',

이은주 교수님이었다. 난 그날로 바로 예약을 했고 약 한 달 후 진료를 보았다. 역시나 동국대 일산병원에서도 피검사를 했다.

이은주 교수님은 내가 내 SNS에 써놓은 적이 있는데 찌르면 피 한 방울 나오지 않을 것 같은 냉철함을 가지신 듯했다. 말씀하시는 것이 마치 AI 로봇 말씀하시는 것 같았다. 내게 하실 말씀을 미리 연습하시나 싶을 정도로 멈춤 없이 다다다다, 그러나 정확한 발음과 일정한 속도로, 그렇게 말씀하셨다.

고기가 통풍에 좋지 않기는 합니다만
어떻게 고기를 안 드실 수 있나요. 드세요.
술은 끊으라고는 하지 않겠습니다.
그러나 줄이십시오.
대신 술 한잔 마시면 난 하루 더 일찍 죽는다 그렇게 생각하세요
맥주는 절대 안 됩니다.

술 끊기 어려우세요?
일단 그럼 주변에 '나 술 못한다. 나 술 못 먹는 사람이다.'
이렇게 말씀하시고 다니세요.
그렇게만 하셔도 술자리 많이 줍니다.

약은 무조건 철저히 드세요.
반드시 드셔야 돼요.

빼놓지 마시고, 깜박하시지 마시고
매일 아침 식사하시고 바로 드세요.
꼭 드세요.
아셨죠 환자분?

　내가 위 멘트를 모두 기억하는 이유는 두어 달에 한 번 하는 정기 진료 때마다 똑같이 계속 강조하셔서 말씀해 주셨기 때문이다. 약이 수치에 잘 반응하지 않으면 이런저런 약들의 투여량을 조절하시면서 내게 강직한 어조로 내 술과 식사를 통제하시더니 1년 만에 내 통풍 수치를 정상수치로 만들어주셨다.

　사실 로봇처럼 냉철하게 말씀하시는 이은주 교수님이 참 미웠다. 벌컥벌컥 무언가 시원하게 마시는 걸 좋아하는 내가 아예 맥주를 끊었다. 맥주만 끊은 것이 아니라, 술을 거의 마시지 않는다 할 정도로 줄였다. 완전히 끊은 것은 아니다. 소주를 두 세잔 정도 마시는 날이 1년에 서너 번 정도는 있기 때문이다. 거짓말은 하면 안 되기에.
　발이 퉁퉁 붓고 통증이 일어나는 경우가 현저히 줄었다. 무릎에 물이 차서 정형외과에 가서 물을 빼는 경우가 많았는데 그런 날도 언제인지 기억이 잘 나지 않는다. 무릎에 물을 빼러 갔다가 정형외과 의사 선생님과 친해졌으니 얼마나 많이 무릎에 물이 차면 빼고, 물이 차면 빼고 했는지... 그 병원비만 다 합쳐도 아마 아이스하키 스케이트 제일 좋은 거를 사고도 남을 거다.

통풍 약은 내게 단지 '약'이 아니다. 내 몸의 상태를 유지시켜주고, 내가 무언가를 절제하게 만들어주는 자물쇠 같은 역할이다. 통풍으로 인한 발작적 통증이 없어지니 내 삶의 질이 얼마나 높아졌는지는 통풍 수치처럼 수치로 그 표현을 다 할 수 없다.

이런 측면에서라면 '병'이 꼭 나쁜 것만은 아니다. 내 몸에 병이 나는 이유는 내 몸을 좀 살펴달라는 내 몸이 내게 보내는 사인이기 때문이다. 이 책에서 내내 외치고 있는데 난 앞으로 하고 싶은 것들이 정말 많다. 그걸 다 하려면 건강한 체력이 밑바탕이 되어야 하는 건 당연하다. '통풍'이라는 질병 덕분에 내 몸과 건강, 그리고 건강과 연계되는 삶의 질에 대해 색다르게 인식할 수 있는 계기가 되었다.

그래. 난 그렇게 내 몸에서 영원히 떠나보낼 수도 없는 병을 안게 되었다. 이왕 이 병을 안게 된 만큼 병과 치열하게 싸우기보다는 살살 달래가면서 내게 주어진 내 삶을 온전히 다 살아낼 때까지 함께 해야겠다. 몸이 보내는 첫 번째 사인! 그것을 놓치면 안 된다. 혹여 놓쳤더래도 괜찮다. 병원에 가면 된다. 지금!

내 곡을 멜론에서 들을 수 있다니

음악 듣는 걸 좋아하거나 노래 부르는 걸 좋아하는 사람이라면 아마 모두 다 비슷한 생각을 한번 즈음은 해봤을 거다.

'내가 부르는 노래, 내가 만든 노래를
멜론이나 소리바다에서 들을 수 있다면 좋겠다.'

나도 이런 생각을 갖고 있었다. 대학시절 아주 잠깐 음악 동아리에 가입한 적이 있었는데 아마도 그때부터였던 것 같다. 그렇게 오래도록 내 버킷리스트 안에 소중하게 담겨있었다. 난 당연히 음악가가 아니며 뛰어난 예술적 감각을 가지고 있다고 생각하지 않는다. 감히 내 주제에...

그런데,
내가 좋아하는 단어들과 흥얼거리며 만든 내 멜로디는 그 어느 가수로부터도, 어느 작곡가로부터도 불리지도 사용되지도 않았다. 당연하지 내 머릿속에만 있으니까. 나는 내 곡이 마냥 좋기만 한데... 이 곡들이 세상에 나온다면 어떤 반응을 얻을지 궁금했다.

때는 2013년, 내가 기획하고 제작한 연극 '국화꽃향기'에 노래를 더해 뮤지컬 장르로 전환을 하자는 기존 배우님들과 팀원들의 의견이 있었다. 당시 연극에도 4~5곡 정도의 노래가 있으니 7~8곡 정도를 추가해 대사들을 넘버화하면 좋겠다는 당시 김진아 음악감독의 의견도 있었다.

'곡? 더 만들면 되지!'

당시 내게는 작곡가에게 곡작업을 의뢰할 돈이 없었다. 비용을 절감하기 위해서가 아니라, 진짜로 정말로 돈이 없었다. 주변 작곡가들에게 부탁해 볼까 하는 마음도 있었지만, 무료로 해달라고 말하는 건 때려죽어도 못하겠고, 비용을 나중에 줄 테니 작업부터 하라는 건 내 방식이 아니었다. 카드론 대출 같은 걸 받아볼까 생각도 했었지만 빚부터 지며 시작하고 싶지 않았고 더 아픈 사실은 이미 당겨쓸 대로 다 당겨쓴 터라 그런 대출이 되지 않았다는 것이다. 제3금융권이나 제4금융권도 인연이 닿긴 했지만 그냥 거기까지는... 좀 무서웠다. 난 쫄보인가 보다.

일단 가장 커다랗고 중요한 남, 여 메인곡 하나씩이 각각 필요했다. 한 곡은 극심한 고통 속에서도 뱃속 아기를 위해 진통제를 회피하는 여자를 보는 남자의 안타까운 마음을 담아야 했다. 사실 애초부터 절대 그럴 수 없다고 생각하며 시작했지만, 당시 마음으로는 영화 '국화꽃향기'의 OST '희재'를 한번 넘어보자고, 그렇게 생각하며 썼다.

난 우선 가사부터 시작했다. 남자가 하고픈 말들을 상상하고 메모했다.

괜찮아. 울지 마.

늘 네가 나한테 '괜찮다', '울지마' 했었잖아.

내가 이렇게 널 보낼 수가 없어.

아무것도 변하지 않아.

우린 그대로일 거야.

걱정 마. 내가 있잖아.

가지 마. 계속 옆에 있게 해줘.

네가 나한테서 멀어지는 만큼,

그만큼 보다 한걸음 더

내가 그만큼 더 가까이 너에게 갈게.

　여기에 후렴구부터, 호소력 있게, 절절하게... 하며 내 느낌이 가는 대로 허밍 하듯 멜로디를 만들고 그 멜로디를 잊지 않기 위해 피아노 건반으로 꾹꾹 눌러가며 메모했다. 당시 여자를 뒤에서 끌어안고 울면서 남자가 노래를 부르는 장면을 상상했기에 내 방에 불을 끄고 1m짜리 커다란 캐릭터 '라바'인형을 끌어안고 멜로디를 흥얼거렸던 기억이 난다.

　멜로디를 만든 후 당시 2013 연극 '국화꽃향기' 주인공이었던 (지금도 내가 너무나 사랑하고 존경하는 배우) 장덕수 배우님에게 문자를 드렸다.

"형. 저 혹시... 불편하지 않으시면 제가 이제부터 기타 치면서 노래 불러볼 테니까 한번 들어보세요. 승우(국화꽃향기 남주인공 이름) 테마곡이에요."
"네! 그래요! 불러줘요!"

뮤지컬 배우와의 전화 통화로 내가 그에게 노래를 불러드리고 있다니... 이게 참 무슨 일인가 싶기도 했고, 또 당시의 부끄러움, 얼굴의 화끈거림은 잊지 못한다. 내 곡을 누군가에게 처음 들려주는 실로 '첫 경험'이었기 때문이다.

"우와! 대표님! 노래 너무 좋다! 노래 제목이 뭐예요?"
"'약속'이라고 하려고요"

그 곡은 김진아 음악감독의 편곡을 만나 실제 넘버로 탄생, 여전히 사용되고 있으며 많은 사람들로부터 오디션곡으로 쓰고 싶다며 MR을 요청받기도 했다. 아, 그리고 무엇보다 아직도 이 곡을 내가 작곡했다는 사실을 많은 동료들이 안 믿고 싶어 한다. 아니, 안 믿는다. 종종 술자리에서 배우분들이 질문도 하신다.

"진짜 어디 가서 누구에게도 얘기하지 않을게. '약속' 그거 진짜 누가 만들었어요?"

"누구한테 얼마주고 샀어요?"

그 곡은 공연장 안에서 남자들을 눈물 흘리게 하는 곡이라는 평가를 보이그룹, 뮤지컬 배우 출신인 친한 동생 김호준으로부터 자주 듣는 곡이다.

뮤지컬 '국화꽃향기' 속 '약속'넘버를 부르는 장면이다.

뮤지컬 국화꽃향기 넘버 중 승우 테마곡 '약속'의 악보이다.

이렇게 한 곡을 달린 후 김진아 음악감독과의 전화 통화에서 그녀가 내게 한 말을 정말 아마도 내가 죽는 순간까지 잊지 못할 것 같다.

"대표님. 수고하셨어요!"
"고마워!"
"이제 미주 넘버 고!"
"……응? 응."

이제는 미주(국화꽃향기 여자 주인공의 이름)테마곡이다. 당시 뮤지컬 버전 주인공으로 우리 프로덕션에서 오래전에 확정을 지은 '서지유'배우님이 부르실 노래다. 난 누나가 하는 공연을 찾아다니면서 그녀가 어디 음역대까지 안정적으로 낼 수 있는지를 확인했다. 참 어마어마한 노래실력이시다 싶었다. 대형 뮤지컬의 웬만한 여주인공 넘버의 음역대도 서지유 배우님은 아주 수월하게 소화하실 듯싶었다. 여자의 감정에 몰입해야 했다. 또 가사가 될 이야기들을 메모했다.

시간이 가는구나.
얼마 남지 않은 이 소중한 시간.
우리 같이 보던 그 별로
내가 당신보다 조금 더 먼저 가요.
언제 다시 볼 수 있을까요.
먼저 가 있을게.

당신은 천천히 오세요.

당신은 외롭지 않을 거야.

우리 아이가 함께 있잖아.

먼저 가 있을게.

당신은 천천히 오세요.

괜찮을 거야. 울지 말아요.

고마워. 미안해.

난 눈물이 많다. 엔딩 장면을 생각하면서 이런 글들을 쓰고 멜로디를 붙이는데 여러모로 참 힘들었다. 이런 가사를 멜로디에 담는다는 것 자체가 내겐 참 무모했으나 이 곡을 서지유 배우님이 부르신다고 하니 영광스럽기도 하고... 만감이 교차한다는 게 이런 거구나 싶었다.

멜로디를 만들고 가사를 붙인 이때도 하필 늦은 저녁시간이었다.

"누나. 주무세요?"

"아니요. 지금이 몇 신데 벌써 자요? 무슨 일 있어요?"

"누나. 저... 제가 한번 불러볼 테니까, 그냥 한번 들어보시기만 하세요."

"아! 노래? 미주 노래 나왔구나?"

"네. 건반 잘 못 치니까 참고해 주시고요!"

"네~!"

나는 건반의 코드만 눌러가면서 멜로디를 천천히 불러 나갔다. 뒤에 높은 음은 그냥 허밍으로 해가면서. 그렇게 노래를 다 부르자 서지유 배우님은.

"오오오오오! 박수!"

하셨다.

"괜찮은가요? 불러주실 수 있으실까요?"
"당연하지! 노래 너무 좋은데요?"

역시나 서지유 배우님도 처음에는 내가 만들었음을 믿지 않으셨다. 그 곡도 여전히 내 영혼의 파트너 김진아 음악감독의 편곡에 의해 세상에 태어났고, 레인보우 '지숙'님, 뮤지컬 배우 '정서희'님께서도 가창에 참여해 주셨다.

뮤지컬 '국화꽃향기' 속 '오리온자리'넘버를
부르는 장면이다.

뮤지컬 '국화꽃향기' 넘버 중 미주테마곡 '오리온자리'의 악보이다.

이 곡들은 작품 속에서 노래를 불러주신 배우님들, 그리고 김진아 음악감독의 응원과 도움에 힘입어 스튜디오에서 녹음 후 음원사이트에 등록되어 인터넷 세상이 파괴되지 않는 이상 누구든, 어디에서든 이 곡을 들을 수 있게 되었다. 감사하게도 이 우주에 사라지지 않고 영원히 남게 된 셈이다.

어렸을 적 버킷리스트에 담겨있던 것일지라도 놓고 있지 않으면, 인식만이라도 하고 있다면 의식의 흐름이 그것들을 이루게 하는 방향으로 흐른다는 이야기를 라디오에서 들은 적이 있다. 난 작곡가도, 작사가도 아니었으나 내가 기획하고 제작한 작품을 많이 사랑했다는 이유로, 그리고 그것을 가장 오랫동안 분석하고 고민했다는 이유로 내 것을 표현할 수 있는 기회가 생겼었던 거다.

노래가 좋아서, 멜로디가 좋아서가 아닐 것이다. 함께해 주신 그분들도 작품을 사랑하는 마음으로 내가 만든 부족한 음악에 당신들의 능력과 열정을 더해 조금씩 그 완성도를 함께 높여간 역사와 경험이 아니었다 생각해 본다.

PS.

멜론이나 소리바다, 벅스뮤직 등 모든 음원사이트에서 뮤지컬 '국화꽃향기' OST를 만나실 수 있습니다. '오리온자리'와 '약속' 두 곡 모두 제가 작사, 작곡했습니다. 믿지 못하시겠지만 정말입니다.

죽어도 좋아!

모든 남자들에게는 세 가지 로망이 있다. 아니 아마 있을걸?

모든 남자는 '플래쉬'처럼 빠르고 싶다. 이 말에 부정하는 자 그만 읽어라.

모든 남자는 마동석까지는 아닐 것이나, 권상우 정도로는 '벌크업' 되고 싶다. 부정하는 자 진짜 그만 읽어라.

또한 모든 남자는 긴 무언가를 휘두르며 전진하고 싶다. 과거 중세 시대의 긴 창이 멋있고, 조선시대 이순신이 한쪽에 찬 긴 검이 멋있 다. 군 생활은 싫어도 군 시절 쐈던 K-2 소총을 멘 자신의 모습은 멋 있다고 느꼈을 것이다, 90년대 인기 드라마 '모래시계' 속 여주인공 고현정을 지키던 '재희(당시 배우 이정재가 연기했었다.)'가 휘두르던 죽도! 멋있다.

마지막으로 이야기하는데 위 세 가지 중 단 한 가지라도 부정한다 면 그만 읽어라. 아래의 내용이 공감되지 않을 수도 있기에.

이런 남자의 로망 세 가지의 특성을 모두 다 가지고 있는 콘텐츠는 이 세상에 흔치 않다. 아니 아마 이것밖에 없을걸? 2018년 겨울, 겨 우 4개월 남짓 시작한 이 운동 후 라커룸에서 나이 38이나 처먹은 늙 은 아이가 울고 있었다. 어떤 나이 지긋하신 어르신이 물으셨지.

'어?! 왜 그래? 무슨 일 있어? 왜 울어?'

그 아이는 대답했다.

'너무 재밌어서요. 이걸 제가 왜 이제야 시작했을까요? 너무 억울하고 분합니다.' 라고.

'자네가 몇 살이지?' 질문에 그가 '네. 저는 서른여덟입니다.'
하자.
'울지 마. 아직 22년은 더 할 수 있어. 왜냐면 내가 60살이거든' 하셨다.

어렸을 때부터 지극히 '감성충'이었던 나는 활발한 척 친구들과 어울렸으나 사실 난 혼자 있는 게 좋았다. 그래서 사색과 상상의 시간이 많았고, 혼자 음악 듣고, 혼자 책 보고, 혼자 걷고,... 그래서 난 늘 혼자였고, 그래서 사실은 나 외로웠다. 술자리를 좋아하지 않는 내가 마흔이 넘도록, 괴로울 때 편히 부를 '쏘주 한 잔 같이 마실 친구'도 없다는 게 서글펐다.

그런 나에게 그것으로 인해 활력이 생겼다. 나를 플래쉬로, 그리고 벌크업된 멋진 몸매로, 그리고 긴 창을 휘두르는 전사로 만들어준 이 스포츠. 무엇보다도 누군가 나에게 '네가 필요하다.'고 말해 준 뜨거운 스포츠.

2016년 말할 수 없는 나의 어떤 실수로 내가 속한 업계에서 밀려난 후 화풀이하듯, 도망치듯, 아니 원망하듯 입사한 어느 회사. 그 회사에서마저도 사람에게, 상사에게, 조직에게 상처를 받은 것이 쌓여 짐짓 바보 같은 생각을 하는 내게, 오랫동안 다녀 나에 대해 많은 걸 알고 계신 한 의사선생님이 말씀하셨다.

"죽을 땐 죽더라도 가만히 생각해 보고 나서 신중히 결정해서 죽어라. '내가 하고 싶은 건 다 해봤나?', '죽어도 여한이 없는가?', '할 수 있는데 미뤄놓고 아직 못한 건 없나', '있다면 시도는 해보았는가?', 죽는 순간, '아..시발 이거 하나는 해보고 죽을걸' 하는 후회될 만한 건 없는가. 꼭 한번 생각해 봐. 그리고 그걸 적어 봐. 그런 거 없다, 난 다 해봤다, 적을 게 없다! 싶으면 뭐. 죽어도 괜찮지. 잘~ 살았던 거니까."

하나씩 적어보는데, 찾아보니 어쭈 이거 봐라. 한두 개가 아니네. 조급해졌다. 그래도 이건 해보고 죽자. 난 그중 가장 높은 곳 1위에 적었던 다섯 글자. 그것에 집중했다.

'아이스하키'

'아이스하키 동호회'라고 녹색창에 검색하고 검색되는 여러 카페, 블로그의 지기에게 무작정 메모를 적어 보냈다.

'죽기 전에 꼭 해보고 싶은 운동입니다. 스케이트도 탈 줄 모르고, 경기 규칙도 모릅니다. 그래도 괜찮다면 가입해서 좀 해보고 싶습니다. 받아주실 수 있으시면 연락 한 번만 주세요.

010-5232-45××'

여러 팀 중 가장 먼저 목동아이스링크에서 운동하는 한 동호회의 리더(지금의 팀, 캡틴)에게 연락이 왔다.

'장비는 있느냐?'
'평소에 운동을 좀 했느냐?'
'가장 중요한 부분인데, 차가 있느냐?'

등등 이런저런 문자를 주고받았었다. 차가 있냐고? 경제력을 보며 팀원을 구하는 건가... 살짝 궁금해지는데, 이런 내용들도 모니터 한 귀퉁이에 보였다.

'돈이 많이 드는 귀족 스포츠, 그에 반해 크게 다칠 수 있는 스포츠'

크게 다친다... 뭐 철없이 죽기를 각오했던 적도 있는데 다치는 게 대수냐. 난 답 문자를 보냈다.
'장비? 사겠다. 중고? 중고 싫다. 나 새걸로 사겠다.'
'어렸을 때 수영선수했었다. 나 힘든 운동 자신 있다.'

'차 있다! 두 대 있다!'

약 6년 후 지금.

지난 주 아이스하키 동호인 연합회에서 주최하는 아이스하키 대회에서 우리 팀은 우리가 속한 디비전에서 준우승을 했다. 언제인가 꽤 자극적인 포스터의 문구를 본 기억이 있다. 어르신들의 사랑에 대해 다룬 영화, 제목 〈죽어도 좋아〉, 난 이 '죽어도 좋다'는 감정을 이 운동을 하며 꽤 여러 차례 느꼈다. 운동을 마치고 헉헉대며 빙판에 누워서는.

'아.. 너무 행복해. 나 이대로 죽어도 좋아!'를 혼자 되뇐 적이 많다. 그런데 '죽어도 좋다'는 생각을 하면 할수록 이 벅찬 감동을 지속적으로 바라는 인간의 이기적인 본성 때문인 건지 내 인생의 계단은 죽음보다는 삶 쪽으로 더 내리막이 열렸다.

그저 빙판 위에서 스케이트를 타며 축구처럼 상대방의 골대에 퍽을 넣는 것이 전부인 것처럼 보일 수도 있다. 그냥 보면 그렇다. 그런데 그걸 예술적으로 바라보면 실로 보이지 않던 것이 보인다.

아기가 바닥을 기어다니다가 몸을 일으켜 걷기 시작할 때, 그때 당시의 자신의 감정을 기억하는 사람이 있을 수 있나? 보통 11개월에서 16개월 사이에 걷는다는 기사를 본 적이 있다. 즉, 인간은 자신의 11~16개월 사이를 기억할 수 있는가. 불가능하지 않나?

2018년 8월 10일은 아마 나의 생에 두 번째 11개월~16개월 사이 어딘가였을 것이다. 아이스하키를 처음 시작한 그날, 난 장비 착용만

했을 뿐인데 온몸이 땀으로 젖었었더랬다. 그냥 서있는 것도 힘들어 계속 앉았다가 일어서보기를 반복했었다. 발은 또 왜 그렇게 아픈지. 근데 팀 부주장이시라는 고민재 형님이 따라오란다. 라커를 나와 복도를 따라 몇 걸음 따라가는데 한쪽으로 휙 방향을 틀어 꺾으신 후 사라지셨다. 난 그 자리에 멈춰 섰다. 사라지신 벽에서 얼굴만 뽕! 튀어나오셔서는 자신을 따라서 계단을 내려오라신다.

"저... 어딜 가는 거예요??"
"뭘 어딜 가요. 링크로 가야죠~"
"저 오늘 첫날인데요?"
"그럼 뭐 첫날이라고 락커에 그냥 앉아있을 거예요?"
"무... 무서운데요."
"제가요??" "아뇨. 이거(스케이트) 신고 계단 내려가는 거요."
"……"

둘 중 하나다. 욕이 나오거나, 화를 내시거나. 잠시 고민하시는 듯 하더니.
"옆에 계단 손잡이 잘 잡고 천천히 내려와 봐요. 보고 있을 테니까."

지하 2층까지 계단을 내려가는데 계단이 왜 이렇게 많은지... 욕이 나왔다. 그리고 부축 좀 해주지. 거 참 진짜로 눈으로 봐주시기만 하시고 잡아주시진 않으신다. 나쁜 사람.

　그냥 땅도 두려운데 얼음판으로 들어오라 하신다.

　'아 돌겠다...'

　생각하고 있는데 잘생긴, 그리고 무척이나 어려 보이는 코치라는 분이 내게 와 '힘들면 얼음 바닥에 앉으라'고 했다. 그러고는 그 코치 님이 해주신 딱 한마디 말씀에 무언가 뜨겁게 목구멍으로 차오르면 서 이내 마음이 편안해졌다. 당시의 난 수세에 몰려있었다고 봐도 무 방하다. 낭떠러지 앞이나 다름이 없는 상태다. '이래 죽으나 저래 죽 으나'였던 거다. 두려운 상태에서 집중하면 단순해지고 그러므로 결 정이 쉽다. '무조건 이 사람이 시키는 대로 하자'

　그가 해준 멘트는 이랬다.

　"괜찮습니다. 저만 잘 따라 하시면 됩니다. 그러면 절대 안 다치십 니다. 저만 따라오십시오."

　'자기를... 따라오라고?'

　당시 내 나이 37일 때다. 이 나이까지 살아오면서 저런 멘트를 언 제 들었었나 하는 생각이 들었다. 사실은 평소에 잘 듣기 힘든 멘트아 니잖아. 그렇잖아.

'나만 따라와. 그러면 넌 살(할) 수 있어.'

마치 총알이 날아오는 전쟁통 안. 절실히 살고 싶은 미약하고 연약한 내 앞에, 날아오는 총알을 한 알, 한 알 눈으로 보며 피할 것 같은 어벤져스가 나타나 자신의 뒤만 잘 쫓아오라는 손짓을 하는 듯했다. 첫날 이후 주변 모든 이들이 내게 어벤져스였다. 감사하게도 누구 하나 날 외롭게 놔두지 않았다. 어떤 영웅은 조금이라도 덜 아프게 넘어지는 방법을 가르쳐 줬고, 또 다른 영웅은 내게 '넘어질 땐 손으로 바닥을 딛지 말고 차라리 팔목으로 링크를 찍으며 넘어져라.'며 내 몸을 지키는 방법을 일러줬다.

아장아장 걸음마부터 시작해 걷다가 뛰고, 뛰다가 급격히 멈추는 과정까지 걸리는 시간이 최소 3~4개월은 걸렸던 것 같다. 어렸을 적 부모님 혼자 오롯이 감내해야 했던 걸음마. 그러나 생에 두 번째로 만나게 된 '제2의 걸음마' 때는 내 주변 수많은 어벤저스들 때문에 결코 외롭지 않았다. 누군가의 보살핌과 가르침을 받으면서 차근차근 성장해가는 내 모습을 볼 때면 모든 일들이 지금 내가 하는 이 운동 같았으면 좋겠다는 생각도 들었다.

뜨겁게 이 운동을 하다 보니 크게 달라진 점 또 하나. 예술적으로 보지 않으면 보이지 않는 것! 사시사철 할 수 있는 이 스포츠는 장비가 워낙 크고 무거워 차량이 없으면 운동을 할 수가 없다. 쌀가마니 무게만큼 짊어지고 집과 링크를 버스로 왕복할 수는 없으니까. 차량으로 이동해야 하다 보니 '술'에서 점점 멀어지는 나를 봤다. 즉, 이 운동을 하려면 술을 마실 수가 없다. 또 보통 저녁~야간에 하는 운동이니만큼 과식을 할 수도 없다. 배부르게 저녁을 먹으면 (너무 과격하고 체력을 많이 쓰는 이 운동의 특성 때문에) 토가 나올까 두려울 정도니까. 그만큼 이 스포츠의 이면에 보이지 않는 긍정 효과들은 진정 내 삶에 좋게 영향미치는 그야말로 덤이다.

점점 더 높아지는 이 스포츠에 대한 열정과 욕구는 나를 더 활력 있게 한다. 그저 그냥 힘든 운동이 아닌, 내가 밑바닥의 정서를 헤매고 있을 때 나를 건전하게 바로 세워 준 스포츠. 누구에게든 자신에게 이런 영향을 준 누군가가 또는 무엇인가가 있을 것이다. 없다면 주변에서 꼭 찾아서 그쪽으로 한 걸음씩 접근을 시도하고 결국 직접 접촉하길 진정 바라고 응원한다.

그것을 예술적으로 바라보면서!

즉, 그냥은 보이지 않는 그 힘과 매력들을 마음껏 상상하면서!

서른 넘어 나이 먹고 이렇게 환하게 웃어본 적이 언제인가 싶다. 늘 아이스하키를 할 때면 턱이 아프다. 너무 재밌어서!

전반전을 마치며

내 삶에 인상적이었던 과거, 그리고 시도들이었습니다.

이런 제 감정과 감성을 가질 수 있게 해주신
부모님, 가족들, 그리고 친구들,
제 주변 모든 사람들에게 진심으로 감사드립니다.

예술적으로 바라볼 줄 아는 자세, 태도
이런 것이 제 마음과 몸 속에 스스로 태어났을 리 없습니다.

돈이 되지 않으면 의미가 없나요?
지금 당장 내게 현실적인 가치가 없으면 의미가 없나요?
아니지요.
그것들이 곧 모두 다 '나'인 걸요.
그것만으로 충분한 소장의 가치가 있는 거라고
저는 그렇게 믿습니다.

잠시 쉬어가자. :

저 이성모를 소개합니다.

국가기관인 모 기관에서의 지원 사업 프리젠테이션 현장이었습니다.

"보니까 대학로 소극장 연극, 창작 뮤지컬 하는 곳 치고는 매출이 꽤 되시네요?"
"연극, 뮤지컬이 본업은 맞으신가요?"

믿지 못하시겠지만 실제로 제가 받은 질문입니다.

'너희들은 알아서 돈을 잘 버네. 그러니 우리가 주는 이 지원금은 필요 없지 않아?'
또는
'너희들은 연극, 뮤지컬이 본업이 아니구나?'

이런 의도가 느껴져 언짢았습니다.
(전적으로 제 생각일 뿐 질문하신 분의 입장과 의도는 전혀 그렇지

않으실 수도 있고, 그렇지 않으실 거라 믿습니다.)

　코로나 때 많은 공연기획사, 제작사들이 힘들었습니다. 저도 물론 같이 힘들었습니다. 그런데 주저앉아 있을 수는 없지 않습니까. 토끼 같은 팀원들도 있고, 매달 납부해야 하는 고정비도 적잖이 있었습니다.

　코로나 상황에서도 이루어지는 사업들이 있는지 여기저기 사이트를 열심히 찾았고, 그중에서 제가 할 수 있는 일이 무엇인지 샅샅이 살폈습니다. 제가 또는 저희 팀원들이 그 일을 할 수 없을 것 같으면 그 일을 할 줄 아는 프리랜서를 찾아 설득하고 팀에 합류시켜 그와 함께 서류와 사업을 검토하고 입찰과 제안을 준비했습니다.

　저는 그렇게 제가 하고 싶은 연극과 뮤지컬을 하기 위해 다양한 '일'들에 덤벼들었습니다. 그들이 요청하는 서류가 있으면 온 정성을 다해 그 서류를 썼고, 발표 기회가 주어지면 제 의견을 논리적인 순서에 맞게 담아 설명하고, 설득하고, 간절히 호소했습니다. 안 신던 구두도 신었고요, 양복을 다시 맞출 돈이 없어 가지고 있던 양복에 제 몸을 맞추기도 했습니다.

　그러다가 운 좋게 어떤 일이 저에게 주어지면 '속된 말로' 목숨을 걸고 그 일에 저를 던졌습니다. 내 일이니까 내 일처럼. 그렇게 그 일을 대하고 그 일의 책임자, 담당자분들을 만났습니다.

　제가 무언가에서 '이렇게 하자!' 하면, 담당자분들은 손사래를 치시며 '어우, 아니다. 그렇게까지 해주실 필요는 없으시다.'며 늘 저는 담당자분들이나 책임자분들의 눈높이보다 더 높은 곳을 지향하고 더 좋은 결과를 욕심내었습니다. 그것이 저의 순익 일부를 잘라내어야 할지라도, 때론 제 사비를 들여야 그것들을 실현할 수 있을 것 같을 때에도 저는 주저하거나 망설이지 않았습니다. 그래야 담당자분들과 책임자분들이 해당 부서 또는 기관에 떳떳하게 저와 제 회사의 선택이 옳았음을 얘기할 수 있고, 당당하게 저를 다른 이에게 소개할 수 있다는 확고한 신념 때문이었습니다.

그렇게 저는 소개와 소개를 통해, 입소문을 통해 바빠졌습니다. 뭐 하나 쉬운 일이 없었고, 고민과 갈등도 다수 있었으며, 연속 밤샘도 있었고, 끼니를 거르는 일도 허다했습니다. 어떤 날에 제 팀원은 새벽 경북으로 출발 오후에 경북 모 지역에서 행사를 하나 연출하고 바로 서울로 이동해서 성수동 모 카페에서의 강연콘서트를 진행한 후 바로 다음날 있을 행사의 셋업 현장으로 바로 간 적도 있습니다.

서울에서, 파주에서, 과천에서, 대구에서, 경북 전 지역에서…… 이렇게 저와 제 팀원들은 전국 각지를 유랑하듯 돌며 사력을 다했습니다. 배의 평형수가 없으면 기울어 침몰하듯이, 그 평형수의 양을 유지하기 위해 부단히 우리의 재능과 체력과 시간을 썼던 겁니다.

이렇게 저는 저를 소진시켰습니다. 저 뿐만이 아니죠. 저로 인해 제 팀원들도 함께 소진되었습니다. 그런데 저와 제 회사가 자생하기 위해, 자립하기 위해 사력을 다해 달린 결과가... 고작 '연극과 뮤지컬이 본업은 맞으시죠?'라는 질문이라니 사실 참담했습니다. 달콤한 물과 완주메달, 응원까지는 바라지도 않았습니다. 그저 우리가 해온 노력, 소진의 목적과 목표가 '연극'과 '뮤지컬'을 계속하기 위해서였다는 것. 그것을 내 주변이, 세상이 알아주길 바랐을 뿐입니다.

물론 이렇게 일하면서 발전된 점도 있습니다. 새로운 일을 하며 새롭게 만나게 된 소중한 인연들도 있고, 우리 팀원들의 성장도 있었습니다. 그러나 '콘티(이성모 프로덕션)는 연극과 뮤지컬을 하는 사람들'이라는 주변의 인식, 우린 소중한 이 커다란 걸 잃어버린 것 같습니다. 이 잃어버린 것을 되찾기 위해 우리가 코로나 시절을 극복해온 마음처럼, 또 지금을 그리고 앞으로의 하루하루를 살아갈 겁니다.

저는 이렇게 연극과 뮤지컬을 좋아합니다. 아니 사랑합니다.
사람들이 모여 함께 하는 이 작업을 좋아합니다.
우리가 애써가며 모든 걸 다 쏟은 공연을 관객분들과 나누고 함께 공감하는 그 순간이 제 삶에서 가장 짜릿한 순간들이었습니다.

기업, 기관, 단체가 원하는 행사를 대행하고,
학교에서 학생들을 만나고 있고,
때로는 음악을 만들고,
때론 지금처럼 글을 쓰며 살아가고 있지만,
본업이 공연기획임을 잊은 적이 없습니다.

저와 저희 팀원들이 세상에 하고 싶은 이야기들을 잘 정리하여 그 걸로 공연을 만들고, 그 공연을 통해 이 세상에 우리가 하고픈 이야기를 하는 것. 그것이 저와 제 팀원들이 함께 모여 열심히 살아가는 이유입니다. 앞으로도 체력과 정신력이 허락하는 한, 저는 그렇게 살아갈 겁니다. 지금처럼요. 함께.

사무실 문에 위와 같이 붙어있습니다.

우리는 연극과 뮤지컬을 기획하고 제작하는 사람들이라는 것을
스스로 잊지 않기 위해, 그리고 들어오셨던 분들이 나가시면서
'아 맞다! 여기 연극과 뮤지컬을 하는 회사였지.'를 느끼시도록
하기 위한 우리의 조치였습니다.

후반전 :

예술적으로 바라본 그들과 그녀들

질문이 있습니다.
여러분들의 삶에 영향을 준 주변인들에 대해 메모해 보신 적이 있으신지요.
어느 날 과거 군생활을 하면서 만났던 정말 존경했던 선배님을 뵈러
세종시에 간 적이 있습니다.
선배님을 뵈러 가는 그 버스 안에서 내내 뛸 듯이 마음 기뻐했던 기억이 납니다.
그분에게 영향받은 것이 참 많기 때문이기도 했을 것이고
그것으로 내가 이렇게 잘 살아가고 있다는 것을 보여드리러 가고 있기 때문이었을 겁니다.

물론, 이 선배님만 계신 건 아니지요
저에게, 제 삶에 영향을 주신 분들은 너무나도 많습니다.
그분들의 이야기를 해볼까 합니다.

이를 부득부득 갈며 그에게 배웠다.

※주의사항 : 제 자랑이 너무나 많으니 이 챕터 1은 skip 하셔도 좋습니다.

※특이사항 : 단 한 톨의 거짓이 없음을 밝힙니다.

'축! 대대장 이성모, 강원도 2사단 노도부대 입성'

학군단장님께 교육 보고를 마치고 군사학 강의실에 들어오니 칠판에 이렇게 쓰여있었다. 서정열, 아니면 김경익의 짓이 분명하다. 2사단... 훈련이 엄청 많다는 예비사단... 그날은 우리가 실제 배치될 부대가 발표되는 날이었다. S1이었던 인식이는 일산 9사단에, S3였던 용진이는 전쟁이 몇 년 동안 계속되어도 절대 포탄이 떨어지지 않을 것 같은 저 멀리 뒤편 후방에 배치됐다. 후보생 시절 내내 정말 설렁설렁 생활을 했던 신재관 이 새끼는 여의도에 배치가 됐다. 잘 되는

놈은 어떻게 해도 잘 되는 건가 보다. 나만 강원도 2사단으로 배치됐다. 나만. 함께 장교가 된 우리 학교 학군단 38명 중 나만!

　2사단에 배치됐지만 어쩔 수 없지. 명령이니. 당시 우리 훈육관이셨던 정재광 훈육관님은 내게 '괜찮다'고 하셨다. 2사단에는 31연대, 32연대 17연대가 있는데, 17연대만 피하면 된다고 그러니 너무 실망은 하지 말라고 하셨다. 사실 위로만 받았을 뿐이다. 상무대에서 훈련을 받다가 랜덤으로 배치되니 어떻게 내 의지로 무언가 해볼 방법은 없었다.

　상무대에서 훈련을 받는 와중 우리 모두 생활실에서 휴식을 취하고 있을 때 우리 훈련중대 중대장님께서 직접 자대 배치를 발표하셨다. 모두 4명이 한 생활실에서 생활을 했는데 기가 막히게 오직 우리 방만 4명 전원 17연대에 배치됐다. 그때의 발표 방송을 잊을 수가 없다.

"유지훈 17연대!, 이창돈 17연대!, 이성모 17연대!, 지광구 17연대!"

　모든 생활실과 복도에서 폭소가 터졌다! 네 명 모두 17연대? 어떻게 이럴 수 있지? 뭔가 혹시 잘못된 건 아닐까 중대 행정실에 함께 달려갔지만, 누군가의 장난도 아니었고, 꿈도 아니었다. 그렇게 난 2사단 17연대로 배치됐다. 하도 주변에서 17연대 '심각하다', '무섭다', '훈련이 어마어마하다'는 이야기가 많아 사실 스트레스가 많았다. 걱정을 한 아름 안고 연대장님께 신고를 한 후 중대 건물로 걸어 들어갔다. 안에는 잘 생긴 장교 한 분이 계셨다. 중대장님이셨다.

"충성! 3중대 3소대장으로 배치받았습니다. 충성!"

새로 오신 중대장님도 우리가 소대장을 처음 하듯 첫 중대장 임무를 받으셨다고 했다. 특이한 게 보병 병과가 아닌 정보 병과였다. 뭔가 스마트할 것 같은 느낌을 받았다. 그리고 당신께서는 우리와 함께 중대장 임무를 정말 멋지게 수행하고 싶다고 하셨다. 그간 했던 걱정들이 말끔히 날아갔다. 이 사람만 믿고 하루하루 살아가다 보면 남은 24개월이 금방 가겠지 싶었다.

그 바로 다음 날, 그러니까 배치받은 후 다음 날부터 내 생각은 완전히 부서졌다. 중대장님은 유독 나를 엄청 싫어하셨다. 동기였던 1소대장, 2소대장이 엄연히 옆에 나란히 있는데 유독 내게만 일을 과도하게 내리셨다. 무언가 서류 하나를 써야 할 때도 전부 다 내 차지였다. 당시 소대장들은 '교육훈련 계획서'라는 걸 써서 사전에 중대장님의 결재를 받아야 했는데 다른 동기들의 서류는 세심하게 눈여겨보시지 않으시면서 내 서류는 하나하나 전부 읽으셨다. 오탈자는 물론, 이건 말이 되네 안되네, '이대로만 보면 무슨 훈련을 어떻게 하겠다고 하는 건지 명확하지 않다. 고쳐라', '소대장으로서 복안이 잘 반영되어 있지 않다', '의도를 가지고 쓴 거냐, 단순히 보여주려고 쓴 거냐, 이렇게 하려면 때려치우고 나가라!'... 해도 해도 너무하신다 싶었다.

당신께서 외부 출타로 잠시 자리를 비울 때면 내게 모든 권한을 위임하고 가셔서 여기저기 오는 전화의 대응과 업무처리로 땀을 뻘뻘 흘리기 일쑤였고, 타 기관에서 다양한 서류들을 요구받으면 중대장님과 전화 통화를 해가며 서류를 고치고 또 고치고 머리가 터질 지경이었던 날이 많았다.

때론 너무도 사소한 세부지침까지도 모두 다 주시고 가셨다. 당시 중대장님께서 뭔가 내게 지시를 하실라치면 난 수첩을 가지고 와서 그것들을 꼼꼼하게 다 적었다. 그럴 수밖에 없었다. 하시는 말씀과 지시사항이 너무도 많았기 때문이다. 그것들을 하나씩 하나씩 나만의 방법을 통해 해결하고 보고드리고, 또 다른 하나 해결하고 보고드리고, 퇴근시간이 지났는 줄도 모르고 그걸 모두 다 해결한 후 잠에 들었다. 그렇게 하지 않으면 분명 불호령이 있을 것이 뻔했고 잘 해내는 소대장이라고 인정받고 싶었다. 이 책을 통해 말하지만, 당시 엄마에게 안부전화를 드리면서 '나 우리 중대장 패 죽이고 싶다'고, 진짜 이렇게 말한 적 솔직히 있다.

나 이어야 할 이유가 도대체가 없었다. 가나다순으로 해도 내가 먼저가 아니며, 성적순으로 나오는 군번도 내가 제일 늦었다. 1, 2, 3소대 중에 난 3소대장이었고, 내가 가장 못생겼고, 내가 가장 키가 작았으며... 아무튼 가장 못나서인지 내가 가장 말을 잘 들을 것 같아서인지 중대장님은 나를 잠시도 가만 두시지 않으셨다.

우리 군의 특성상 병력들이 취침에 들어가면 간부 중 한 명은 상황실에서 상황을 유지한다. 갑자기 어떤 일이 발생해도 이상하지 않은 휴전상태인 지금 만약의 사태가 발생했을 때 간부가 현장을 지휘해야 하기에 그렇게 상황을 유지하는 것이다. 물론 야간에 잘 일어날 수 있는 병력들의 불합리한 다툼이나 질병 등의 관리를 위해서도 간부의 상황실 유지는 필요했다.

다른 동기들이나 간부들이 근무를 할 때는 일어나지 않는 일이 내가 근무를 설 때는 자주 일어났다. 중대장님의 깜짝 부대 방문.

"충성! 부대 인원 장비 이상 없습니다."

"상황보고 해봐."

"……"

중대장님은 '장교가 되어가지고 어떻게 제대로 말을 못 하냐' 하시며 병력들이 깜짝 놀라 잠에서 깰 정도로 나를 혼내셨다. 처음 해보는 소대장, 제대로 보고를 할 리가 없다. 중대장님은 멘트 하나, 단어 선택 하나, 억양 하나, 보고할 때의 리듬까지 지적하시며 할 거면 제대로! 정확히 할 줄 알아야 한다고 하셨다. 거의 내 근무 때마다 오셔서 나를 괴롭히셨다. 그렇게 몇 주의 시간이 지났을 때 난 누가 점검을 오시든 안정되게 상황보고를 할 수 있게 되었다.

"충성! 3중대 보고드립니다. 중대 총원 115명, 휴가 인원 3명 외현 인원 112명 취침 중에 있으며 총기 115정 이상없음을 23시경 확인했습니다. 작일 오후 1명 편두통으로 연대 진료받아 추적 관찰하고 있으며 지금 깊이 잠들어 있습니다. 이상입니다. 충성!"

내가 근무할 때면 타 중대에, 대대에 새로 전입해온 간부들이 캔 음료수와 컵라면 같은 간식들을 들고 나를 찾아와 '보고하는 방법'을 가르쳐달라고 했다.

어떤 날엔 중대장님이 근무 중 무료함을 달래기 위해 보고 있던 내 소설책을 당신의 손으로 꾸욱 덮으시며 볼 거면 '교범'(군 훈련 교과서)을 보라고 하셨다. 보지 않더래도 책상에 펼쳐놓기라도 하라고 하셨다. 정말이지 악마 같았다. 다른 중대는 TV를 보고 있기도 했고, 만화책을 보고 있는 간부들도 있었다. 유독 나는 교범책을 펴놓고 수류탄과 K4 장비의 제원, 윤형 철조망을 치는 방법 등을 보고 있었어야 했다.

지금 생각해도 가장 화가 나는 건 '근무 취침'이다. 상황유지를 하면서 밤을 꼬박 새운 간부는 '근무 취침'이라는 걸 한다. 근무를 한 만큼 아침에 귀가해서 샤워도 하고 휴식도 한 후 오후 2~3시경에 부대에 출근하는 것이다. 난 이 근무 취침을 군생활 시작하고 단 한 번도 한 적이 없다. 단언컨대! 단 한 번도 근무 취침을 한 적이 없다.

"중대장님. 근무 취침 다녀오겠습니다."

"그래. 피곤하지? 수고했다. 다녀와라."

BOQ(부대 내 간부숙소)에 올라와 샤워를 하고 옷을 갈아입을라치면 중대장님께 어김없이 전화가 온다.

"3소대장. 꼭 근무 취침 해야겠니. 지금 부대 여건이 수월치 않은데..."
"...... 예. 일찍 내려가겠습니다."
(너무나 다정하게) "그래. 3소대장 고맙다. 샤워만 하고 얼른 내려와라."

마음이 약해져 샤워만 한 채 터덜터덜 부대로 다시 내려가면 그때부터 또다시 생고생이 시작되는 것이다.

어느 날 육군본부의 사단 교육훈련 점검이 있었던 날, 당시 이한홍 사단장님께서 사단 예하 전 연대장, 대대장, 중대장, 소대장 전원을 회의실에 집합시키셨다. 그러고는 랜덤으로 지목을 하셨다. '지금 현재 소대장만 150명이 앉아있다. 설마 나겠어?' 생각했다.
사단장님께서는

"가만히 있어보자... 17연대 소대장들 전부 손들고 있어."

150여 명 중 50명 정도가 손을 들었다.

"...... 1대대 빼고 전원 내려."

15명 정도가 남았다.
"...... 3중대 빼고 전원 내려."

오.. 맙소사....

"이 중에...... 3소대장 일어나."

'아... 사단 소대장 150명 중에 왜 하필 나... 아... 시발...'

생각은 이랬으나, 일단은 팔을 귀에 붙여 힘차게 들어 올리며

"예! 17연대 1대대 3중대 3소대장!"

하며 자리에서 일어났다.

"철조망 칠 때 대철항 어떻게 박아야 하나?"

난데없는 이 질문에 모두가 난감해 했다. 순간 내 직속상관 17연대

장 김상동 연대장과 1대대장 정봉룡 중령의 표정이 눈에 들어왔다. '아... 저 녀석 저거 잘 모를 텐데...'하는 표정들이셨다. 내가 잘만 답변하면 이분들의 어깨에 힘을 좀 넣어드리는 거라는 생각이 들었다. 난 사단장님의 답변에 자신이 있었다. 난 상황근무를 할 때마다 교범을 봤잖아.

"예! 답변드리겠습니다. 대철항에는 홈이 다섯 개 있는데, 맨 아래 있는 홈이 지면과 10cm 되도록 박아야 합니다."

순간 우리 대대 인사담당관 조성재 상사가 눈이 똥그래지시며 지그시 나를 향해 엄지손가락을 올리셨다. 사단장님께서는

"그래. 이게 아주 중요한 건데, 우리 17연대 1대대 3중대 3소대장은 그걸 아주 잘 알고 있구나. 다들 이렇게 잘 알고 있지?"

회의실에서 나가자마자 김상동 연대장께서 내 볼을 쓰다듬으시며 "잘했어!" 하셨고, 옆에서 정봉룡 대대장님도 연대장님께 "우리 대대 최고의 소대장입니다." 하셨다. 난 웃으며 중대장님을 쓰윽 쳐다봤다. '중대장님. 칭찬 좀 해주세요!' 하는 표정으로. 중대장님께서는 얼굴은 웃고 계셨으나 이렇게 말씀하셨다.

"웃지 마. 정들어!"

그렇게 소위 임관 후 6개월이 흘렀다. 이후 중위가 되었는데, 그때 화려한 내 군생활이 슬슬 시작되었다. 난 연대에서 가장 인정받는 소대장이 되어있었다. 대대 대표로 어딘가에서 소대장이 발표나 브리핑을 해야 하는 기회가 있으면 대대장님은 당연히 나를 보내셨다. 동기였던 대대 교육장교 박철환 중위는 대표로 한 개 소대가 어딘가로 평가를 받으러 가야 하면 무조건 우리 소대를 대대 대표로 보냈다. 연대장님께서는 연대 RCT라는 훈련을 할 때 연대 전투전초라는 임무가 있는데 정말 체력적으로 강인하고 똑똑한 소대가 해야 하는 그 임무를 어김없이 우리 소대에게 맡기셨다. 이 모든 고생의 결과는 매번 병력들을 휴가 보낼 수 있는 휴가증으로 보답되었다. 훈련만 있으면 넙죽넙죽 큰 임무를 받아오고 그걸 잘 해내서 휴가증을 많이 획득하니 소대원들이 내 말과 지시를 잘 따를 수밖에 없었다.

어느덧 1년 반의 시간이 지나 중대장 이취임식이 있었던 날, 난 그 날만을 얼마나 기다렸는지 모른다. '아! 내가 드디어 이 사람의 손에서 벗어나는구나!' 싶었다. 그런데 하루하루 다가오면서 기쁨이 아쉬움으로 바뀌었다.

'이제서야 내가 좀 중대장님의 눈높이에 맞출 수 있을 것 같은데...'

하는 생각이 들었다. 중대장 이취임식 당일 날이 되었다. 이취임식의 지휘는 당시 부중대장이었던 동기, 지광구 중위가 했어야 했는데 내가 광구에게 부탁을 했다.

"중대장님 이취임식 행사 지휘를 내가 할 수 있게 해줘. 부탁해."

우리 중대의 부중대장이기도 했고, 내 BOQ 룸메이트이기도 했던 지광구 중위는 나와 중대장님의 관계를 잘 알기에 흔쾌히 양보를 해 줬다. 난 이취임식 첫 경례부터 마지막까지 울면서 지휘를 했다. 그러 고는 맨 마지막 "받들어~ 총!"을 외친 후 나 혼자서 "충성!"을 외쳤어 야 했으나, 난 제대로 "충성"을 외치지 못했다. 중대장님도 눈물을 흘 리고 계셨기 때문이다.

단에서 내려오신 중대장님은 병력들 한 명 한 명과 '수고했다', '잘 해줘서 고맙다'하시며 모두와 악수를 해주셨다. 맨 마지막 지휘 위치 에 서 있는 내 앞으로 오셨다. 나는

"중대장님. 죄송합니다. 이제야 중대장님 보필을 잘할 수 있을 것 같은데…"

하며 고개를 떨어뜨렸다. 중대장님의 얼굴을 볼 자신이 없었다. 중 대장님은 내 얼굴을 바로 세우시며 (어떤 말을 해주실지 궁금했다.) 말씀하셨다.

"왜 아까 맨 마지막에 '충성'제대로 안 하나. 할 거면 제대로 정확하게 해라."

하셨다. 참...... 중대장님답게 떠나실 때도 그렇게 떠나신다.

그날 저녁 중대장님 댁에서 회식을 했다. 중대장님 사모님께서 그동안 고마우셨다며 중대 간부들에게 상다리가 부러질 듯 진수성찬을 마련해 주셨다. 다들 술도 한 잔씩 마셨다. 난 중대장님께 정말로 여쭙고 싶었다. 왜 그렇게 저를 싫어하셨는지. 왜 유독 저에게만 그렇게 날카로우셨던 건지. 이걸 진정 여쭙고 싶었다. 난 술김에 용기를 냈다.

"중대장님. 왜 그렇게 저한테만 가혹하셨습니까?"

내가 드린 이 질문에 중대장님의 답변이 잊혀지지 않는다.

"3소대장. 내가 너한테 정말 심하게 했지. 나도 중대장이 처음인데 소대장들도 다 신임 소위들이라서 나도 너무 걱정이 돼서 여기저기 물어봤어. 내가 어떻게 해야 되냐고. 그랬더니 선배님들이 하나같이 다 그러시더라고. '가장 눈빛이 반짝반짝한 한 명을 붙잡아. 그리고 걔 하나를 키워. 그러면 나머지는 다 따라오게 돼 있어.' 다들 그러시더라고. 뭐 하나를 가르칠 때마다 넙죽넙죽 그걸 흡수하는데, 그래. 너 어디까지 갈 수 있나 해보자 했지. 넌 정말 잘했어."

차라리 '네가 너무 엉망이라 그랬다' 해주시길 바랐다. 그랬으면 좀 더 쉽게 수월하게 중대장님과 멀어질 수 있을 것 같아서다.

나는 그 누구보다 행정에 강하다고 자신한다. 지금 내가 살아가고 있는 공연계 안에서 나보다 더 행정을 잘하는 사람이 있다고 생각하지 않는다. 어떤 걸 서류로 표현하거나 문서화하는데 있어 어려움을 전혀 느끼지 못한다. 프레젠테이션도 그렇다. 우리 팀원들이 농담 삼아 '대표님의 발표는 최고다.'라고 할 때마다 아니라고, 엉망이라고 그렇게 답변한 적이 많으나 난 그 누구보다 발표능력에 있어 뒤처지지 않는다고 생각한다. 2006년 인제군 덕산리 물난리가 났을 때에 현장에 방문하신 국방부 장관에게 상황을 브리핑 한 현장 임무수행 부대장교가 딱 두 명 이었는데 중대장 중에 한 분은 우리 중대장이셨고, 또 한 장교는 나였다. 중대장님과 나 모두 떨지 않고 명확하게 깔

끔하게 현장 브리핑 드린 기억이 아직도 생생하다.

여전히 어딘가에서 바쁜 삶을 지내고 계실 중대장님께 자주 연락을 드리지 못해 죄송한 마음이 크다. 죄다 그분에게 배운 방법대로

당시 국방부장관이셨던 윤광웅 장관님은 수해현장에 오시자마자 지역주민부터 만나셔서 위로를 전하셨다. 뒤에는 (우측부터) 우리 중대장, 장근태 중대장님과 나, 그리고 김상동 연대장님이시다. 브리핑을 기다리고 있다.

살아가고 있는데 말이다. 이 책이 나오면 한 권 준비해서 찾아뵈어야
겠다. 만나면 이렇게 인사드릴 예정이다.

"충성! 중대장님. 3소대 인원 장비 이상 없습니다!"

내 이야기를 가장 많이 들어주신 클라이언트

2012년 어느 여름 날.

"저희가 요청한 대로 뭐하나 제대로 되는 게 없잖아요?
너무 하신 거 아니에요?"

상암동의 모 고깃집이었다. 대행사 대표인 나를 클라이언트 측 담당자가 깨고 있는 현장이다.

"할 말이 있으면 해보세요. 제가 일단 들어드릴게요."

이것만으로도 충분히 괜찮은 클라이언트다. 내 이야기를 들어줄 준비가 되어있다는 것. 이 사람은 참 좋은 사람이라고 느꼈다. 당시 우리는 모 기업의 꽤 큰 전시체험전을 대행하고 있었고 그는 그 회사의 과장이었다. 다양한 부스들이 있었고 그 부스들 중에는 뮤지컬을 관람하는 부스도 있었다. 그 부스에서 진행되는 뮤지컬도 물론 우리가 만들었다. 그 뮤지컬의 반응이 생각보다 신통치 않아 다양한 수정 방향을 말씀해 주셨는데 그것들이 반영되지 않았다는 것이다.

"진짜로 다 들어주시나요?"
"네. 말씀해 보세요. 하실 말씀이 있으시면."

날카로웠으나 말할 기회를 주셨으니 감사하게 넙죽 받았다.

"예. 말씀드리겠습니다. 그 뮤지컬에서 제가 피디이긴 하지만, 그게 저 혼자 하는 것이 아니지 않습니까. 배우들끼리도 그동안 맞춰놓은 앙상블이 있고, 배우들이랑 스태프들과도 맞춰놓은 것들이 있습니다. 말씀 주신 내용들은 우리가 모두 해낼 수 있는 부분들이긴 하지만 우리에게 시간이 필요합니다. 연습도 다시 해야 하고요, 이게 5분짜리 개그콘서트 콩트가 아니지 않습니까. 스태프들에도 수정된 큐를 만들고 배우들과 맞춰 볼 시간적 여유가 필요합니다. '지금 이렇게 이렇게 얘기를 했으니, 내일 공연에 반영하세요!' 이거 안됩니다. 물리적으로 그렇게 안돼요 과장님."

내 이야기를 모두 다 들으시고는

"아. 그렇겠네요. 이게 방송 녹화하고는 다르군요."

그렇게 그분은 내게 '알겠다' 하셨다. 이후 삼겹살을 주문한 후 가장 잘 맛있게 구워진 한 점을 집게로 들어 소금을 톡 찍으시고는 내 앞접시 위에 놔주셨다. 내가 삼겹살을 좋아하긴 하지만 누군가가 그렇게 구워서 내 앞접시에 올려주니 감동이 살짝 올라오며 요 앞에 있던 폭언 살짝 비슷한 강한 언어들에서 오는 상처들이 삼겹살의 폭발하는 육즙에 모두 녹아 내려갔다.

다음날 그는 자신의 상사를 설득해 일주일의 시간을 내게 확보해 주었다. 우리에게도 충분한 시간이었다. 그때가 2012년 7월의 어느 날이다. 해당 프로젝트가 종료된 이후 나는 그분께 '형님'이라고 부를 수 있는 관계가 되었다. 결코 삼겹살 육즙 때문이 아니다. 내 얘기를 들어줄 수 있는 그분의 대화방식과 상대방에 대한 배려 때문이었다.

　이후 다양한 사업들에 나를 끼워넣어 주시려 안간힘을 쓰셨다. 연극, 뮤지컬 한다고 늘 힘들게 살아가고 있는 나와 내 팀원들에게서 동정심을 느끼셨던 게 아니었을까 싶다. 덕분에 대기업에서 추진하는 이런저런 사업들에서 다양한 경험들을 할 수 있었다.

　이 형님은 회의가 필요할 때면 나를 늘 아침 일찍 자신의 회사로 부르셨다. 당시 그분의 회사 건물이 상암동에 있었는데 사옥에 주차를 하고 나오면 우선 나를 데리고 근처 한솥도시락으로 가 내 아침식사를 챙겼다. 같이 도련님 도시락에 계란 프라이를 하나 추가해서 아침을 먹으면서 사업 추진과 관련된 이런저런 얘기를 나눴다. 커피는 내가 사겠다고 해도 기어이 커피까지 당신이 직접 계산을 하셨고 아이스 아메리카노 테이크아웃 커피잔을 내 손에 들려 나를 사무실로 보내셨다.

　　"이제 일 하러 가. 얼른 가서 기획안 써서 오늘 초안 보내줘."
　　　　　　　　　　　　　　"예."

　그때 딱 시계를 보면 막 오전 10시가 지났다. 덕분에 형님과의 미팅은 내 하루의 계획에 큰 영향을 주지 않았다. 보통 오후 2~3시경 미팅이 잡히면 그날 하루는 그 회의 앞, 뒤로 이런저런 영향이 미쳐 내 하루가 홀라당 날아가는 느낌을 받는데, 차라리 외부업체와의 미팅이 필요하다면 그때도 그렇고 지금도 난 이른 9시 미팅이 여러모로 좋다.

약 12년이 흘렀다. 그때도 그랬지만 요즘도 참 먹고살기 힘든 시기다. 내 무덤을 내가 팠다고 해도 할 말이 없다. 내가 지독하게도 고집스럽게 그렇게 살았다. 투자사로부터 투자를 받지 않는, 즉 자체적으로 예산을 만들어 제작비를 마련하고 그 제작비로 공연의 기간과 규모를 정하는 제작 시스템을 고집하고 있는 우리 회사는 지금 여러모로 힘든 시기를 겪고 있다. 난 종종 이런 내 고민과 답답함들을 내 SNS에 글로 남긴다. 내 글에 꼬박꼬박 '좋아요'와 응원글을 달아주는 형님이 늘 고마웠다.

어느 날 형님에게 전화가 왔다.

"성모야. 요즘 많이 힘들지?"
"예. 뭐. 그런데 잘 버티고 있습니다."
"성모야. 혹시 이런 거 해볼 수 있겠냐? 국제회의 같은 건데."
"국제회의요?"
"응. 근데 이게 당장 다음 달이래."

"아. 네."

"네가 할 수 있겠다고 하면 내가 그쪽에다가 너희 회사를 전문 업체로 소개할 수 있고 그러면 너희들이 하게 될 것 같긴 한데..."

내가 이 형님과 교류한 게 벌써 14년이 되어간다. 내가 형님으로부터 잘 배워놓은 것이 있으니 그건 바로 '기세'이다. 어떤 일을 밀고 가는 기세. 사업을 시작하고 얼마 되지 않은 초기에 만나 나에게 많은 이야기를 해준 경험 많은 형님이다.

"성모야. 이렇게 하면 안 돼. 이렇게 하면 클라이언트가 불안해해.
자신 있다고 말해.
그러고 나서 적극적으로 일에 붙고 물어보고 확인하고.
그러면 되잖아."

이렇게 말씀해 주셨던 십수 년 전 그때가 떠올랐다.

"예. 저희가 할게요 형님."

사실 난 자신이 없었다. 연극, 뮤지컬이 본업이고 토크 콘서트나, 축제나 이벤트 행사들을 부업으로 하고는 있지만 '국제회의'라는 건 생소했고, 무엇보다도 좀 두려웠다. 새로운 분야에의 도전은 내 과업 경력이나 내 든든한 팀원들의 존재와 상관없이 늘 그래왔다. 근데 지금의 이 힘든 시기를 자력으로 버텨가고 있는 우리가 찬밥, 더운밥 가릴 처지가 아니었다.

다리를 놓아주신 덕분에 우리는 다음 달 있을 국제회의를 잘 준비해나가고 있다. 발전된 세상을 살아가는 젊은이들답게 적절히 번역기와 챗지피티의 도움을 받아 가며 뉴욕의 모 회사의 담당자와 영어로 잘 대화해나가며 차근차근 회의 준비를 해나가고 있다.

이런 생각들이 들었다.

'내가 엉망이었으면 나를 추천하셨을까.'
'내가 엉망이었으면 내가 형님의 머리에 떠오르기나 했을까.'

형님의 머릿속에 '이성모는 무슨 일이든 다 해낼 것'이라는 인식이 자리 잡혀 계시는 것 같은데 이것이 맞다면 그 이유는 내가 사업을 시작한 초기 시점에 형님을 만났기 때문이라고, 난 그렇게 생각한다.

내가 만난 여러 클라이언트 중 가장 내 얘기를 많이 들어준 클라이언트. 잊을 수가 없다. 내가 형님께 보답할 수 있는 길은 열심히 살아가는 것이다. 형님에게 어떤 도움의 손길이 필요할 때 내가 나타나 골치 아픈 일들을 명쾌하게 해결해 줄 수 있는 전문가로 성장하는 것. 그게 내가 이 형님에게 기여할 수 있는 가장 좋은 방법이다.

"신정수 형님. 그렇지요?"

정확히 어떤 이유인지 기억나지 않으나 분명한 건
내가 뭔가 상의하고 조언을 듣기 위해 만난 자리였다.
토시살과 된장찌개가 엄청 맛있었다. 당연히 형이 사줬고,
감사하게도 이날 커피는 내가 사게 해주셨다.

그래. 그게 또 이성모지.

시효가 있다면 지났으리라 믿기에 적는다.
이미 15년이나 지난 상황이다.

때는 2010년 봄. 석사논문 최종심 날이다. 석사논문 최종고 발표 후 심사 교수님들로부터 살벌한 질문들이 쏟아졌다.

'최종심에서 교수님들과 대립하지 말아라.'
'그분들의 얘기가 무조건 맞다고 생각하며 의견들을 수용하는 답변을 해라.'
'다 과정이라고, 석사로 가는 절차일 뿐이라고 그렇게만 생각해라.'

이렇게 마음먹으라는 선배님들의 조언을 충분히 인지하고 들어갔지만 난 포커페이스가 되지 않았다. 난 진땀을 뻘뻘 흘리며 부러지지 않으려고 당시 상황을 꾹 참고 버티고 있었다. 그때 뒷문이 벌컥 열리며 덩치가 커다란 어떤 분이 들어오셨다.

"안녕하십니까. 저는 저 친구 지도 교수입니다."

내 지도교수 님이시다.

"(손가락으로 나를 가리키시며) 제가 지도하는 학생인데
제가 좀 보려구요!"

그 어떤 관계자분도 내 지도 교수님의 행동을 제지하지 못했다.

"제가 지도했던 내용들이 잘 반영이 됐나 제가 좀 봤는데, 이 친구
이거 요즘 바쁜 건지…
(갑자기 나를 바라보시며) 이성모! 너 이거 모 이상해! 저도 같이 좀
앉아서 보겠습니다."

원래 발표 당사자의 지도 교수는 심사석에 앉을 수 없었지만 심사
교수님들은 내 지도 교수님의 기세 때문인지 그 어떤 분도 이에 답하
지 못하셨다.

"아직 논문 수정시간이 좀 있고 제출할 때까지 제가 책임지고 이
논문을 완성시켜 놓을 테니까 일단 P(PASS)주시죠!"

난 그렇게 내 지도 교수님의 어벤저스같은 등장으로 석사학위를 받
았다.

내가 수많은 대학교들 중에서도 홍익대학교 대학원에 진학한 이유
가 있다. 신인가수가 아이유와 BTS를 저 높은 목표로 우러러 바라보

듯 내가 늘 우러러보던 분이 그 학교에서 강의를 하고 계셨기 때문이다.

그분의 강의 속 다양한 이야기들을 여전히 생생하게 기억한다. 행사의 '콘셉트'에 대한 중요성을 이야기하셨던 강의는 처음부터 끝까지 내 머릿속에 그냥 '통째로' 들어있다. 그때 해주셨던 그 이야기 그대로 내가 팀원들에게 또는 강의하는 학생들에게 이야기하곤 한다. 실로 교수님 덕분에 강의 중 한 타임 정도는 그야말로 날로 먹는 셈이다.

내가 어떤 클라이언트로부터 아주 기분 좋은, 과분한 칭찬을 들은 적이 있었는데, 이성모가 기획하고 연출하는 행사에는 '진심이 보여서 좋다.'는 취지의 말씀이었다. 기분이 엄청 좋았는데 어떻게 그럴 수 있었을까에 대해 꼬리에 꼬리를 물고 거슬러 올라가 생각해 보니 결국 이 분이 계셨다.

이런 분에게 난 그리 잘하지 못했다. 즉 좋은 제자는 아니었던 것 같다. 좋은 제자가 되고 싶은 건 당연하다. 그런데 내가 좀 혼란스러운 부분은 '좋은 제자'란 무엇인가 하는 점이다. 내가 생각하는 좋은 제자는 그 분야에서 잘 헤쳐나갈 줄 아는 전문가가 되는 것이었고 실로 그에게 배운 것을 내가 하는 일에 적용하는 '용기'를 갖는 것. 난 이게 좋은 제자가 되는 방법이라고 생각했고 지금도 이 생각에는 변함이 없다. 언젠가 (그런 일이 일어날 가능성은 참으로 희박하지만) 시상식이나 기념식 같은 데서 많은 이들의 이목이 집중된 상태에 내가 마이크를 잡을 기회를 얻는다면 '당신 덕분에 내가 이곳에 서 있다고, 당신 덕분에 많은 행복한 일들을 사랑하는 이들과 함께 해올 수 있었다'고 그렇게 말할 수 있는 제자이고 싶었다.

어느 날 대학원 시절을 함께 보냈던 모 동료분에게 온 전화를 잊을 수가 없다. 교수님 생신 파티에 왜 나오지 않느냐는 질타가 섞인 전화였다. '교수님께 왜 받기만 하려고 하느냐', '왜 이렇게 이기적이냐'는 얘기까지 들었다, 난 그 모임이 싫었다. 한 번도 나가지 않은 건 아니다. 초반에 한번 나갔다가 적응이 어려워 다시는 참여하지 않았을 뿐이다.

당시 홍익대학교에서 강의를 하시면서 '제일기획'이라는 업계 최고의 광고홍보대행사에 계셨던 내 지도 교수님은 참 많은 것들을 제자들에게 해줄 수 있는 권한을 가지신 분이셨다. 내겐 그저 석사 지도 교수님이시고 존경하는 업계 선배님이었지만 다른 동료들에겐 달랐던 것 같다. 친목을 도모하는 자리 이상으로 교수님께 끊임없이 무언가를 바라고 직접적인 도움을 원하는 듯한 동료들의 눈빛과 언행에......

(아...... 거 돌려 말하기 되게 어렵네......)

아무튼 난 교수님께 바라는 게 없었다. 늘 감사한 마음을 가지고 있고, 더 멋진 전문가가 되지 못해 그것이 죄송했을 뿐, 난 그분과 스승과 제자이지 '갑'와 '을'의 관계는 결코 아니었고 그렇게 되고 싶지 않았다. 그랬기에 감사함과 존경심 이상으로 그분에게 다가갈 이유가 내겐 없었다.

얼마 전 국제회의 하나를 맡게 됐다. 난 연극, 뮤지컬, 콘서트, 전시, 체험전, 콘텐츠 런칭 이벤트 등 다양한 분야에서 일을 했지만 '국제회의'는 처음이었다. 의뢰를 받았을 때 난 두려운 것이 없었다. 갑작스럽게 추진된 국제회의, 얼마 남지 않은 기간으로 인해 많은 국제회의 대행사들이 사업을 맡기를 주저했다고 했고 그렇다 보니 나에게 까지 의뢰가 오게 된 듯했다. 다시 말하지만 내게 이 일이 왔을 때 난 두렵지 않았다. 난 내 석사 지도 교수님의 제자였기 때문이다.

그분께서 늘 하시던 말씀이 있다.

"기획자가 불가능한 게 어딨어? 기획자가 안되는 게 어딨어?"

그래. 난 기획자다.
그 일을 잘 해낼 수 있는 전문가를 찾아 설득하여 내 옆에 두고 일을 함께 추진해나가면 될 일이었다. 오랜만에 교수님께 전화를 드렸다.

"교수님. 안녕하셨습니까."

"응! 성모! 네가 나한테 전화를 다 주고, 어쩐 일이냐?"

"자주 연락드리지 못해 죄송합니다."

"아냐. 다들 바쁜 거 아는데 뭐. 근데 무슨 일이냐?"

"네. 교수님. 제가 국제회의를 하나 맡게 되었습니다."

"그런데?"

"제가 국제회의를 해보지 않아서 전문가 한 분을 소개받고 싶어서 연락드렸습니다."

"평소에 모임 한번 안 나오다가 이런 일이 있어야 나한테 전화를 하는구나~"

살짝 뭔가 찔리는 듯한 마음이 드는 순간 교수님의 멘트가 인상적이다.

"그래. 그게 이성모지."

이후 제일기획 시절 국제회의 담당 기획자였던 후배 한 분의 연락처를 카톡으로 보내주셨다.

'그래. 그게 이성모지.' 이것이 어떤 의미일지 궁금했다.

'자기가 필요할 때만 연락하는 그런 사람이 이성모이지.'

하는 의미일 수도 있겠고,

'그래. 이성모는 나한테 잘 보이려고 찾아오고 매달리는 그런 녀석이
아니지.'

하는 의미일 수도 있겠다.

교수님께서 하신 말씀이 실제로 어떤 의미인지는 여쭙기 전에는 알
길이 없으나 여쭙고 싶은 마음도 없다. 아무러면 어떤가. 교수님께서
는 내게 꼭 필요한 정보를 아낌없이 내어주셨다. 난 그냥 두 번째 일
거라고 생각하고 믿으면 그만이었다. 당신께서 해주신 많은 이야기
들이 내 일에 있어서의 판단 기준이 되고 근거가 된다는 것을 교수님
께서는 알고 계실까. 언젠가 교수님과 함께 앉아 이야기 나눌 기회를
얻을 수 있다면 아래의 멘트를 길게 풀어 진심을 담아, 사례를 들어
잘 전달 드릴 예정이다.

'되돌아보니 죄다 당신에게 배운 걸로 살고 있음을 느낍니다.
이도훈 교수님. 감사합니다.'

저에겐 아버지가 두 분이십니다.

결론부터 말한다. 난 아버지가 두 분이다. 생물학적으로 날 처음 이 땅에 태어나게 해주신 우리 아버지, 그리고 사회생활을 하면서 나를 공연기획자로 태어나게 해주신 김하인 선생님. 이렇게다. 어버이날 부모님께 연락을 드리거나 찾아뵙듯이 난 몇 해 전부터 김하인 선생님께도 안부 연락을 드린다. 처음에는 스승의 날 연락을 드리다가 시간이 지나며 어버이날에 연락을 드리기 시작했다.

늘 흥행과 순익, 매출에 예민하게 반응하면서 때론 흥분했다가 때론 좌절했다가를 반복하는 삶을 살 수밖에 없는 공연기획자 이성모는 선생님께는 참 못된 아들이기도 하다. 내가 늘 일 때문에 힘들거나 괴로울 때만 연락을 드리는 것 같아서다.

'요즘 너무 힘이 듭니다. 괴롭습니다.' 말씀드리면 (당신이 계신) '고성 오너라.' 해주신다. 너무나 괴로웠던 2016년 여름, '선생님. 찾아뵈려고요.' 한 줄 문자를 드렸는데 '왜 오느냐', '무슨 일 있느냐' 묻지 않으시고 '그래. 조심히 오너라.' 해주셨던 그때. 고성으로 바로 차를 몰아 밤늦은 시간, 선생님께서 운영하시는 펜션에 도착했다. 죄송하게도 선생님과 사모님께서 10시가 넘은 시간임에도 주무시지 않으시고 기다리고 계셨다. 사모님이신 도예가 정재남 선생님께서 그때 직접 빚으신 내 주먹만 한 손만두가 너 댓개 들어간 만둣국과 고성 앞바다의 깨끗한 바닷물에 배추를 절여서 하신 김치를 내어주셨는데 눈물을 눈에 꽉 채운 채 말없이 만둣국을 먹었었던 기억이 난다, 김하

인 선생님께서는 아무런 말씀 없이 소주를 가져오셔서 한 잔 따라주시고는

"몇 잔 마시고, 아침인사(선생님의 펜션의 방 이름 중 하나) 올라가서 푸욱 자라."

하시고는 선생님의 방으로 올라가셨다. 소주를 서너 잔 마시고 방에 올라가 누웠고, 내가 눈을 떴을 때는 멀리 동해바다의 파도가 새파랗게 보였다. 빛이 너무 따갑지 않게, 따스하게 방안을 밝혔다. 시계를 보니 오후 3시였다. 내리 15시간을 자고 일어나 1층으로 내려가니 사모님께서 직접 커피를 내려주시며.

"잘 잤어? 오늘 바닷바람이 아주 좋은데 바람 좀 쐬고 와~"

2016년 7월 어느 날의 고성 바닷바람의 온도는 내 마음의 상처가 치유되기에 딱 적당한 온도였나 보다. 머리는 가벼웠고, 끝이 보이지 않는 바다 앞에 그저 작디작은 나 하나. 끝없이 밀려오는 파도가 서로 나를 위로해 주러 오는 손길들로 느껴졌다. 습했으나 땀을 일으킬 정도는 아니었고, 바다의 짭조름한 내음은 담백 고소했었다. 그렇게 바다를 걷는데. 멀리 펜션의 입구에 서신 정재남 선생님께서.

"성모 씨~! 라면 먹자~!"

"네!"

1층 로비공간에 있는 테이블에 앉아 라면을 먹었다. 라면을 먹으면서도 아무런 말씀도 하지 않으신 채, '어제보다 표정이 좋네! 있고 싶은 만큼 있다 가라!' 해주시는 김하인 선생님. 시간이 만들어 준 관계이고, 잦은 발걸음과 진심이 이끌어 준 부자(父子) 관계일 거라고. 선생님의 생각은 다음번에 꼭 한번 여쭤볼 생각인데. 나는 일단 그렇게 믿고 싶다.

선생님과의 첫 만남은 2010년 초겨울이다. 아니, 첫 만남은 아니다. 첫 만남 때는 선생님을 찾아뵈었으나 선생님을 직접 뵙지는 못했으니까. 무작정 일단 갔다. 이유는 당연히 선생님의 소설 원작 '국화꽃향기'를 공연으로 만들어보고 싶다는 말씀을 드리기 위해서다. 선생님의 전화번호를 모르기에 정말로 그냥 갔다. 물론 직접 운영하시는 펜션에 전화를 거는 방법도 있었으나 전화를 드려 목적을 말씀드렸을 때 '국화꽃향기의 공연권을 그 누구에게도 허락할 생각이 없다.' 또는 '공연으로 만들어지는 것을 원하지 않는다.' 하실까 봐 사실 정말 두려웠다.

녹색 검색창에 '김하인 아트홀'을 검색하니 강원도 동해 위쪽, '고성'에서 검색이 되었다. 서울에서 출발해서 3~4시간 정도 걸리는 거리였는데 왜 그리 긴장이 되던지 처음 찾아뵈었을 때의 당시 기분을 잊지 못한다.

김하인 선생님께서 운영하시는 강원도 고성, 펜션 〈국화꽃향기〉
난 사진을 정말 잘 찍지 못한다.
내가 보여주고 싶은 매력과 예쁨을 전혀 담아내지 못했다.
건물이 정말 예쁘고 맑은데.
바다까지 걸어서 딱 1분 걸리는 저 아름다운 곳을 많은 이들에게 소개하고 싶다.

안으로 들어가자 나이 지긋하신 여자분께서

"어떻게 오셨어요?"

하셨다.

"저... 김하인 선생님을 뵈러 왔는데요..."
"약속을 하시고 오셨나요? 하인 씨 지금 나가고 없는데?"
"아. 저 그냥 왔습니다. 인사만 좀 드리고 싶어서요..."

지금 생각하면 진짜 당당하지 못했고, 바보같이 쭈뼛댔다. 답답하다 답답해 정말.

"뭐 혹시 무슨 일로 오셨을까요? 전달을 해드릴게요."
"아... 저 그럼... 이 자료를 좀..."
"아. 네. 거기 테이블 위에 두세요. 들어오시면 전달드릴게요.'
"예. 가보겠습니다."

말씀드리고는 꾸벅 90도 인사를 드리고 나왔다. 이렇게 연락 없이 고성에 갔었던 게 지금 생각하면 정말 잘한 일 같다. 사전에 연락이 되었더라면, 통화할 기회가 있었다면 난 무슨 얘기를 어떻게 드렸을까. 내가 차근차근 정돈된 표현으로 의도를 전달할 수 있었을까. 생각해 보면 'No!' 절대 아니다.

무작정 처음 찾아가 제안서 초안을 놓고 왔고 당연히 예상대로 아무런 연락이 오지 않았다. 이후 보름 즈음 지나 처음 놓고 온 제안서에서 작가와 이야기를 나누면서 업데이트된 내용을 다시 담아 들고 가서 또다시 똑같이 제안서 두고 왔다. 물론 그때도 약속을 하고 가지 않았기에 선생님을 뵙지 못했다. 이후 낯선 번호로 문자가 왔다. 공연기획안 맨 뒷장 내 연락처를 보시고 주신 선생님의 문자메시지였다.

'김하인입니다. 다음번에 오실 때는 미리 연락 주세요.
차 한 잔 같이 해요.'

'기회가 왔다!' 싶었다. 마주 앉아 말씀 나눌 기회가 생긴다면 자신이 있었다. 어떤 자신감이었냐 하면 그저 '절실함을 보여드릴 자신', 그리고 선생님의 원작 소설을 정중히 활용하겠다는 진심 정도의 자신감이었다.

세 번째 만남에서도 난 허락을 득할 마음이 없었다. 그저 나를 소개하고 내가 얼마나 '국화꽃향기' 원작을 사랑하는지 정도만 전달할 수 있다면 충분하다고, 그땐 그렇게 생각했다. 차근차근 말씀을 드린 후 선생님께서도 의견을 주셨다. 원작 소설이 영화 '국화꽃향기'로 각색되어는 과정에서 당신께서 생각하셨던 좋았던 점과 아쉬웠던 점, 그리고 특히 당신께서 그리고자 하는 여자 주인공 '미주' (영화 속 '희재')에 대한 이야기를 많이 해주셨었다. 이 이야기를 잘 메모하며 들었는데 이 얘기를 들은 작가는 시놉시스를 다시 수정했고, 난 네 번째 만남에서 선생님의 의견이 반영된 공연 기획안을 다시 보여드렸다. 이때 선생님께서 "내가 봐도 재밌겠네." 하셨고, 다섯 번째 만남에서는 그 시놉시스로 개발된 대본 초고를, 여섯 번째 만남에서는 또다시 선생님의 의견이 반영된 대본 수정고를 들고 찾아뵈었다.

"계약은 어떻게 하면 되는가?"

심장이 쿵! 했던 순간이다. 선생님께

"지금 이 대본대로, 그대로 공연하겠습니다. 그리고 연습 과정 중에 달라지는 장면이나 대사가 있으면 중간중간 연락드려 수정 부분 보여드리겠습니다. 그리고 계약서는 제가 서울 가서 출근하자마자 계약서 초안을 메일로 보내드리겠습니다."

알았다 답변하시고는 계약 내용과 비용에 대해서도 흔쾌히 허락해 주셨다. 저작권을 가진 분에게 공연에의 허락을 득하는 자세는 '진심'이었고, 방법은 '발품'이었다. 난 늘 이 동일한 방법으로 원작자와 원작사를 만났고 허락 여부와 상관없이 후회되지 않는 걸음을 해왔다고 자부한다.

선생님께서는 계약서에 사인을 하시며 약속을 하나 해줄 수 있느냐 하셨었다.

"공연 잘되면 언제 우리 펜션 앞마당에서 이벤트 공연 한번 해줄 수 있나?
무대나 장비 같은 게 변변치 않아서 힘드려나?"

"하겠습니다. 반드시 하겠습니다 선생님."

당시의 사진과 추억들은 아직도 국화꽃향기 펜션 블로그에 오롯이 남아있다.
(https://blog.naver.com/magic167/220437929806)

그 약속을 난 2015년이 되어서야 지킬 수 있었는데, 2014년 뮤지컬 '국화꽃향기'를 마친 배우분들이 함께해 주셨고, 펜션 앞 고성 앞바다의 파도 소리가 음향이었고, 어두움과 별빛이 조명이었다. 마당을 둘러싼 펜션 투숙객분들과 지역주민들 수십여 명이 관객이었던 실로, '무대', '관객', '배우' 3요소가 조화 있게 모인 '완벽한 공연'이었다.

이렇게 당신의 것을 내게 아낌없이 내어주시고 내가 함께 살아가는 방법을 가르쳐 주신 분.
내 두 번째 아버지! 김하인 선생님이시다.

"선생님! 제가 오래도록 효도하겠습니다!"

나의 그녀들 _ 첫 번째

2010년 독립해서 한은정 감독과 함께 회사를 일구어 나가다가 그녀의 뱃속에 둘째가 생겨 안타까운 이별을 한 후 정말 힘들어진 한 팀원이 있다. 2010년 말 우리 회사에 입사한 첫 직원, 그러니까 그녀도 대학을 졸업한 후 내 회사가 첫 직장이며, 2010년 말 입사해서 2016년 여름에 퇴사를 했으니 참 오래도록 나와 함께 했다. 즉 난 그녀가 반짝반짝한 20대에서 능수능란한 30대가 되는 것을 보았다.

어떤 일을 시켜도 "네" 했다. 나도 어떻게 시작을 해야 할지 잘 모르겠는 기획안이나 제안서의 초안을 부탁해도 잠시 생각하고는 "네. 일단 해볼게요."했다. 사실 그녀 때문에 지금 나와 함께 하고 있는 이 사람들이 정말 힘들다.

"왜 해보지도 않고 못할 것 같다, 자신 없다 이런 말을 해?"

아... 내가 생각해도 참 재수 없는 멘트다.

아니 사실 그렇잖아. 말할 수 있잖아.

'대표님. 이건 제가 못할 것 같아요.'
'대표님. 이거 제가 잘 할 자신이 없어요.'

이렇게 말할 수 있잖아. 이런 멘트들에 대해 '내가 뭘 도와주면 네가 이걸 잘 해낼 수 있을까? 내가 뭘 도와줄까?' 이렇게 말해줄 수도 있었다. 아니 그렇게 해줬어야 했다. 그런데 그렇게 말해주지 못하고 난 무척이나 재수 없게 또는 때론 다정하게 '아니 왜 해보지도 않고 자신 없다고 그래?'라고 이렇게 말을 했다. 내가 이렇게 말한 이유는 위에서 언급한 내 첫 직원 그녀, 김수영 PD가 내게 보여준 그녀의 업무를 대하는 태도와 방식 때문이었다. 그녀가 정답이라고 생각하지는 않는다. 단, 그녀의 업무방식과 태도가 내게 너무도 편안했을 뿐이다.

난 어딜 가나 김수영 PD를 데리고 다녔다. 다소곳한 그녀가 회의 자리에 함께 있으면 업무 얘기와 사적인 얘기가 뒤섞여 혼란스럽게 마무리가 되어도 괜찮았다. 사무실에 들어와 30분 정도만 기다리면 회의록이 일목요연하게 정리되어 내 책상 위에 올려졌기 때문이다.

우리 회사에 입사하기 전 인턴으로 세무사 사무실에 있었던 경험도 내게 도움이 되었다. 영수증 정리부터 회계사 사무실과의 대화, 필요 서류의 정리와 준비, 부가세 신고에 필요한 자료의 정리 등도 그녀의 몫이었다.

난 너무 많은 일들을 김수영 PD에게 할당했다. 당시 많을 땐 팀원이 8명 정도 있었던 적도 있었는데 늘 맨 처음 그녀가 출근했다가 맨 마지막 퇴근했다. 당시 내 능력이 부족해서 그렇지 일이 좀 잘되어서 좀 더 많은 수익을 올리는 상황이었으면 그녀의 급여에 보너스를 훨씬 더 많이 얹어서 줬을거다. 내 능력의 부족이 정말 답답하고 한심했던 시기다.

핵심자원이자 내 오른팔이다 보니 가장 중요한 중책을 그녀에게 맡기게 됐다. 지금 생각하면 그 선택을 정말 후회한다. 시간을 다시 되돌릴 수 있다면 당시 그 프로젝트를 김수영 PD에게 할당하지 않고 외부 프리랜서 PD를 고용하고 그녀를 김수영 PD에게 붙였을 건데 어차피 모 불가능한 거 이야기해서 뭐 하나.

2015년 가을이 되었을 때 우리 회사가 두 개의 뮤지컬을 거의 동시에 추진해야 하는 상황이었다.

한 작품은 외부 작가, 작곡가와의 뮤지컬 협업 프로젝트였고, 또 한 작품은 우리 회사의 10주년 기념 공연과 같은, 정말이지 우리의 에너지와 역량, 내 열정과 시간을 모두 다 쏟아부어 만든 연극이었다. 당연히 그 연극의 책임 PD를 김수영에게 맡겼다. 그 작품의 흥행으로 인해 우리 회사도 잘되고 싶었고 김수영 PD도 공연계에 우뚝 세우고 싶은 내 욕심이 컸다. 캐스팅도 수월했고 그간 열심히 일해 축적해 모아놓은 제작비도 넉넉할 정도는 아니었으나 잘 운영하면 부족함 없이 추진할 수 있었다. 그렇게 차근차근 작품의 제작 과정을 밟아갔다. 그녀는 그녀의 성격답게 세심하게 제작 과정을 살폈다. 배우들과 스태프들도 모두 다 김수영 PD의 안정된 추진을 칭찬했다. 이 작품이 잘되면 모두 다 그녀의 고민과 고생 덕분이다.

문제는 내가 일으켰다. 내가 모 매체와 했던 인터뷰가 우리가 제작한 작품 브로슈어에 들어가게 됐는데 그것이 관객들을 화나게 했다.

내 생각도, 기자의 표현도, 해당 브로슈어에 들어가는 과정에서의 편집도 모두 다 잘못되었다. 난 당시 내가 가지고 있던 생각이 잘못되었음을 인정한다. 난 그 덕분에 내 생각의 비뚤어짐을 알게 되었고 한 단계 성장할 수 있는 계기가 되었다. 잘못을 뉘우치고 뼈저리게 반성할 기회도 갖게 됐다. 작품을 쉬면서 많은 관객들로부터, 관계자로부터 질타도 받았고 여전히 받고 있다. 그런데 문제는 '그녀', 김수영 PD다. 그녀는 아무런 잘못이 없다. 그녀가 만든 우리 회사가 사활을 건 작품도 아무런 잘못이 없다. 그 작품에서 오롯이 나만 들어내고 그 자리에 김수영 PD를 끼워 넣고 싶었다. 그러나 그것이 회피로 보일 수 있어 그렇게 하지도 못했다.

온갖 화살이 나에게 날아왔으나 일부 화살들이 그녀에게 꽂히기도 했다. 회사로 걸려오는 욕설이 섞인 항의 전화, 환불 전화를 그녀가 친절하게 묵묵히 받아내는 것을 볼 때면 정말이지 너무나 괴로웠고 남몰래 차 안에서 운 적도 있다. 분해서 흘린 눈물은 결코 아니었다. 그저 김수영 PD에게 미안해서 흘린 눈물이었다.

그 작품의 정산과 결과 보고, 마지막 정리를 모두 마친 그녀는 내게 사직원을 제출했다. 당시 남자친구와의 결혼 준비 때문이라고 이야기하긴 했으나 그것이 이유가 아니라는 걸 난 너무나 잘 알고 있었다. 공연을 너무나 사랑했고, 일을 너무나 잘했던 그녀였다.

난 그녀에게 내가 진 마음의 빚을 평생 갚아나가며 살 거다. 내게 시간이 좀 생기면 그녀에게 시간을 쓸 거고, 내게 돈이 여유가 생기면 그녀에게 필요한 선물을 해줄 거다. 그녀가 '부담된다', '그만해라' 해도 내 능력이 허락하는 한 멈추지 않을 예정이다.

그녀의 집은 부천이었는데 거의 시흥과 맞닿아있는 부천이다. 부천의 끄트머리인 셈이다. 내가 집이 인천 소래포구 근처여서 서울을 오갈 때마다 시흥을 지나는데 그때마다 김수영 PD가, 아니 수영이가 생각난다. 앞으로도 내가 열심히 살아야 하는 이유는 수영이 같은 내 주변 소중한 사람들에게 갚아야 할 것들이 아직 많이 남았기 때문이다.

이런 말을 실제로 잘 못해서 함께 했던 6년 내내 단 한 번도 하지 못했던 이야기를 여기에 남기고자 한다.

"김수영 PD, 아니 수영아. 내가 처음 일을 시작했을 때, 내가 잘 모르고, 부족할 때 그때 나와 함께 고생해 줘서 정말 고마웠어. 그리고 미안한 게 수백 가지야. 내가 하나씩 하나씩 갚으면서 그렇게 살게. 정말 고맙고 사랑한다!"

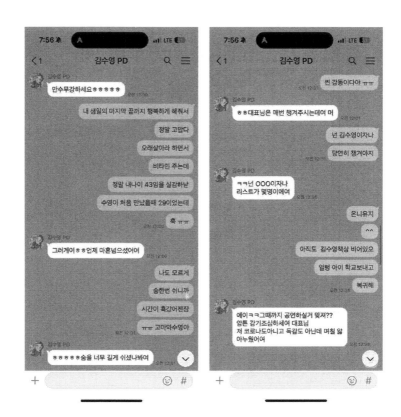

평소에도 아직까지 이렇게 메시지를 주고받는다.
카톡 속 이야기는 사실이다.
김수영 PD의 책상은 여전히 늘 준비되어 있고 비어있다.

나의 그녀들 _ 두 번째

얼마 전 아이스하키 동호인 리그 게임이 있었고 우리 팀은 그 게임에서 아쉽게 졌다. 라커의 분위기가 심각할 수도 있었으나 나의 그녀들 덕분에 그래도 웃음이 있었고 즐거움이 있었다. 내 팀원들의 발칙한 시도들 때문이었다. 나와 아이스하키를 하는 동료들과 형님들도 그녀들의 시도 덕분에 내게 고맙다고, 즐겁다고 말해줬다.

함께 하키를 하는 형님들도 내 팀원들을 다 좋아라, 예뻐라 하신다. 한번 보면 잊혀지지 않는 외모와 아우라를 가진 이 사람들을 좋아하지 않는 건 아마도 참 힘들 것이다. 자신의 대표자가 속해있는 아이스하키 동호인 팀이라는 이유 하나만으로 직접 응원 현수막을 만들어 응원을 오고 간식과 음료들을 예쁘게 패키징 해서 주는, 소위 유명 연예인들이나 운동선수들이 받는 '서포트 간식' 등 이 발칙한 시도로 난 얼마나 고마웠고 당당했는지 모른다.

(나도 그녀들에게 이런 이벤트를 꼭 해주고 싶다. 기회를 살피고 있기도 하다.)

위의 현수막은 강효미 PD가 직접 디자인했다.

사무실에서 뭔가 부스럭부스럭하더니 이걸 만든 거였다.
우리 팀 모든 인원들이 하나씩 가져가고도 남을 만큼 충분히 준비해 줘서
경기 결과와 상관없이 난 어깨를 당당히 펴고 라커에 들어갔다.

　나와 처음을 함께했던 김수영 PD 덕분에 지금 현재 생고생을 하고
있는, 바로 지금 내 옆을 지키고 있는 이 멤버들을 예술적으로 바라보
고자 한다. 이들은 위대하다. 나와 코로나 시기를 정면으로 뚫고 나와
준 전사들이며 내 전우들이다.

　공연이 좋아 우리 회사에 입사했다. 공연이 좋아 공연제작사에 있
었고, 지역 문화 재단에서 인턴을 거친 친구들이다. 훨씬 더 좋은 회
사에서 얼마든 더 편하게 일할 수 있을 텐데 내 옆에서 나와 함께 하
고 있는 이유는 아마도 우리가 지금까지 해온 공연의 성격과 특성 때
문이 아닐까 생각한다. 사회문제에서 이슈를 찾고 그것으로 작품을
만들어온 우리 회사, 앞으로도 계속 그리할 것이라는 확신 때문에 우
리 회사에 있는 것일 거라고 난 그렇게 믿는다.

그렇게 우리는 함께 광산 노동자의 이야기 다룬 뮤지컬을 함께 했고, 외상외과 의사들의 치열한 삶을 담은 연극을 했다. 지금은 지구의 환경 악화로 대안 지구를 찾아 떠나는 넌버벌 퍼포먼스를 제작 중이며, 올해 말에는 인천상륙작전 당시 목숨을 걸고 작전 활동을 했으나 지금은 우리들의 인식에서 잊혀진 특수부대에 대한 이야기를 작품으로 만들고 있다.

코로나에 모든 것이 멈췄을 때 연극과 뮤지컬을 하는 우리에게도 타격이 오는 건 너무나도 당연했다. 난 팀원들에게 우리가 하고 싶은 연극, 뮤지컬만으로는 운영과 유지가 어렵다고 얘기했고 이벤트, 행사 등의 기획과 운영까지 사업영역을 넓힐 것을 제안, 아니 사실 통보했다. 곱창집에서의 회식자리에서였다.

해당 내용을 통보한 후 '너희들이 필요하다.'고 얘기했고 함께해 주길 부탁하며 호소했다. 또한 내 통보를 받아주길 바란 이유도 우리가 지금의 이 시기를 이겨내고 함께 또다시 우리가 하고 싶은 '공연'을 이들과 함께 하고 싶어서 였다.

김수영 PD가 적셔놓은 '우리 회사의 PD들에게는 불가능이 없다'라는 전제를 고스란히 이어받아 새로운 분야, 장르에의 접근에도 도무지 힘듦을 표현하지 못하고 일단 자신들의 몸과 마음을 세차게 던져야 하는 이들의 삶을 더 나아지게 해야 한다. 지금 내게 주어진 과제는 이거다.

2023년 한 해는 이들과 정말 어마어마한 고생을 했던 잊지 못할 해이다. 2022년에도 열심히 했으나, 정말 닥치는 대로 일을 했다. '이때 우리 일정 돼? 그럼 해!'하는 단순한 판단으로 2023년 12월 31일까지 일을 하고 우린 셋 모두 1월에 나란히 뻗었다. 난 난생처음으로 영양제 링거를 맞아보기도 했다.

2023년에 우리 셋이 기획하고 제작, 연출한 행사는 아래와 같다.

- SF미래과학축제
- SF어워드 시상식
- 국립대구과학관 과학문화행사/과학문화공연
- 국립과천과학관 공식유튜브 〈과학관에 산다〉
- 천문우주페스티벌
- 국립과천과학관 돔콘서트
- 국제 달의날 행사
- 전국 천체투영관 워크숍
- 국립과천과학관 개관15주년 기념행사
- 국립과천과학관 연말장식 기획/디자인/설계/설치

이 내용이 전부가 아니다. 하루짜리 클래식 콘서트의 기획과 연출, 모 연극의 지방 공연도 인천, 파주에 두 번 있었고, 강원도 태백으로 우리 관계사의 공연에 진행팀으로 참여하기도 했다. 위 일들을 나를 포함한 내 팀원 둘, 총 셋이서 밀고 갔다고 하면 믿지 않으시는 분들이 더 많다.

이들이 고생하는 것이 미안하고 때론 무리한 과업에 놓이게 될 때면 괴롭기도 하다. 제발 이들의 지금 고생으로 인해 이들이 더 발전했으면 좋겠다. 나와 함께 하는 다양한 프로젝트들 경험을 통해 많은 것들을 배우고 느끼면서 더 큰 기획자가 되길 진정으로 바란다. 올 한해도 그리 수월하게 보내고 있는 건 아니다. 아직도 하반기에 일정이 비어 여러 입찰들을 준비하느라 여전히 긴장된 일정들을 보내고 있다. 얼른 프로젝트 연간 계획이 확정-완성되어서 실행계획을 구축한 후 안정된 업무 상황을 만들고 싶다.

나는 예전 2010년대에 했던 '1박2일' 프로그램을 좋아했다. 당시 내가 그 프로그램을 좋아했던 이유는 출연자(배우)와 스태프들이 함께 어울려 족구를 한다거나 게임을 하는 등 프로덕션이 하나 되어 함께 만들어가는 과정을 보는 것이 좋았기 때문이다. 일을 하는 건지 함께 여행을 간 것인지 모호한 그 중간 경계 어디 즈음에 있었던 그 방송과 콘셉트가 지금의 내게 많은 영향을 주었다. 이들과 함께 '1박2일' 방송 프로그램을 만들 듯 일과 놀이 그 중간 어딘가에 나와 팀원들이 함께 놓이길 진심으로 바란다.

"강효미 PD! 정수희 PD! 우리 오랫동안 함께 재밌는 거 많이 하자!

2024년 상반기 워크숍 _ 베트남으로 다녀왔다.
2023년 너무나 많은 프로젝트들의 스트레스를 잊고자 갔었다.
내년 상반기 워크숍도 해외로 가고 싶다.
물론 이 팀원들의 남편분들이 허락해 줘야 가능하다.

2024년 봄, 날이 너무 좋아서 도시락을 싸서 무작정 한강으로 나갔다.
모 행사 때 얻게 된 캠핑 테이블과 캠핑의자들, 블루투스 마이크도 챙겼다.
어디서든 잘 먹고, 잘 놀고, 일도 잘 하는 이들이 하루도 지루하지 않았으면 좋겠다.

맹목적으로 사랑받아 본 적 있나요?

가장 이 녀석을 따뜻하게 진료해 주던 곳으로 가기로 했다. 다른 병원에 가면 짖고, 떨고, 울부짖었으나 그 병원에서만큼은 간호사의 품에 푹 안겨 꽤 기다란 주사도 꾹꾹 맞았었기 때문이다.

그 녀석이 떠나는 순간, 결국 어머니와 아버지는 그 녀석의 마지막 모습을 보시지 못했다. 내가 그 녀석의 마지막을 함께해 주기로 부모님과 말씀을 나눈 후 병원으로 데려가는 차 안에서 마음속으로 물론 나도 엉엉 울었다. 당시 이온유가 차 뒤에서 곤히 잠들어 있었고 내가 소리 내어 울면 이온유가 잠에서 깰까봐 겉으로 울지 못했다. 이온유가 깨면 이 녀석을 보내주지 않을 것 같아 차에서 이온유를 편히 자게 두고 이 녀석과 마지막 인사를 나누려고 생각했다.

병원에 도착했다. 차를 주차하고 보조석에 이불에 싸여있던 이 녀석을 내 품에 안았다. 보통 품에 안으면 자기가 편안한 자세로 몸을 움직여서 자세를 고쳐잡던 이 녀석이 아무런 움직임이 없이 가늘게 호흡만 겨우 하고 있었다. 그렇게 이 녀석을 안고 차에서 내리려는데

"아빠. 탄이랑 어디 가?"

이온유가 잠에서 깼다. '아... 어떡하지...' 아이가 놀라거나 충격을 받지는 않을까 걱정이 되기도 했다. 당시 세 살이던 아이에게 난 왜

'죽음'과 '이별'에 대해 잘 설명해 주지 못했을까에 대해 순간 후회도 되었다. 일단 설명을 해보자.

"온유야. 탄이가 많이 아프잖아. 지금 이 상태로 두면 탄이가 너무나 고통스러울 거래."

"그럼 어떻게 하는 거야?"

"탄이가 편히 잠잘 수 있게 도와줘야 할 거 같아. 아빠 금방 다녀올게. 차에 있을 수 있지?"

"...... 나도 같이 갈래!"

이온유가 자기도 같이 가겠단다. 같이 가겠다는 말 앞에 잠깐 머뭇거리던 그 시간을 인지하면서 이온유도 상황을 신중히 생각했고 이해했음을 느꼈다. 탄이. 그렇다. 그 녀석의 이름은 털이 새까매서 연탄에서 따온 '탄'이었다. 내가 지었다.

탄이가 처음 우리 집에 왔을 때가 약 10년 전이다. 당시 우리 집은 무척이나 조용한 집이었다. '베르나르다 알바의 집'에 나오는 그 집처럼 (베르나르다 알바의 집에서의 그 집은 엄마의 집이었지만) 엄격한 우리 아버지가 규정해놓은 안정된 집. 우리 집은 친구같은 엄마와 깔

깔깔 지내다가도 아버지가 집에 오실 시간이 되면 엄마와 누나와 나는 서로서로 흥분된 우리를 점차 가라앉히고 '아버지의 집'의 모습으로 변모시켰다. 어렸을 때부터 그렇게 살아왔다. 탄이가 우리 집에 오기 전까지.

웃음도 많고 말씀도 많은 엄마와 달리 아버지는 고지식한, 무뚝뚝한 우리 시대 옛날 아버지. 딱 그런 분이셨다. 내 나이 지금 윤석열 나이로 마흔둘인데 아버지는 아직까지 나를 부르실 때 성을 붙여서 '이성모!'라고 부르신다. 내가 초, 중학교 시절부터 그러셨으니 우리 아버지는 참 친해지기 어려운 사람이 맞으시다.

내가 고등학교 시절 우리 가족이 살던 아파트 옆집, 윗집, 아랫집의 공통점이 있었는데 모두 다 강아지를 키우고 있었다는 거였다. 엘리베이터에서 늘 마주치는 그 귀여운 녀석들 덕분에 때론 기분 좋은 등교가, 때론 기분 좋은 하교가 되었었다. 부러웠다. 용기를 내어 아버지에게 강아지를 사달라고 조른 건 나였다.

내가 한번 무언가를 갖고 싶으면 그 집념과 끈기가 어느 정도인지 아버지도 알기에 일단 우리 한번 집 근처 애견숍에 가보자고 하셨다. 솔직히 말하면 물건 구매하듯이 그런 마음으로 갔음을 인정한다. (당시에는 분양받거나 입양하는 문화가 많이 없었다. 아니, 있었으나 몰랐을 수도 있다.)

강아지들이 우리 가족들을 보자 서로서로 깡충깡충 뛰며 매달리려 했다. 그중 너무 작은, 그래서 다들 깡충깡충 뛸 때 혼자 얌전히 배를 깔고 누워 눈만 게슴츠레 깜박이던 아기같은 녀석이 하나 있었으니 그 녀석이 결국 우리 가족이 되었다. 태어난 지 3주 남짓 되었다는데 눈도 잘 못 뜨고 테이블 위에 올리자 두 앞발은 앞으로, 두 뒷발은 뒤로 쭈욱 미끄러져 늘어지면서 제대로 서있지도 못했다. 슈나우저였고 털이 온갖 새까만, 강아지 중에서도 가장 어린 아기 강아지였다. 집으로 데려와 '탄'이라고 이름붙이고 오랫동안 사랑해주겠다고 약속했다.

탄이가 오고 많은 것들이 바뀌었다. 우선 희한하게 다들 집에 빨리 들어왔다. 나도, 누나도, 아버지도. 일찍 가족들이 집에 모여 함께 저녁을 먹는 날들이 눈에 띄게 많아졌다. 식사할 때의 분위기도 무척이나 많이 바뀌었다.

'오늘은 탄이가 드디어 소파에서 깡충 뛰어 내려왔다. 용기가 가상하다.'
'손가락을 앙 물었다. 근데 하나도 아프지가 않다.'
'밥을 다섯 알을 먹었는데, 오늘은 여섯 알을 먹었다.'

하루씩 달라져가는 이 녀석을 보면서, 딱히 큰 이벤트가 아닌 일상적인 이야기도 그 안에 탄이가 있으면 모두 다 새롭고 신기했다. 탄이를 함께 보며 가족들이 함께 웃고, 함께 보며 얘기했다. 어느 날부터 아버지가 퇴근하시고 집에 들어오시면 쏜살같이 달려가는 탄이를 안아주시며 꼬옥 끌어안으셨다. 이런 말씀과 함께

> **"그래. 아무리 힘들어도 넌 내가 안아줘야지!**
> **그래그래! 아이고 이쁘다!"**

아버지가 누나와 나를 저렇게 사랑스럽게 꼬옥 끌어안아 주셨던 기억이 있었나 생각해 보면 기억나지 않는다. 엄마를 그렇게 안아주시는 모습도 예전 사진에서만 봤다. 아버지, 어머니 두 분이 해외로 여행을 가실 때면 간간이 전화를 주셔서는 '탄이 밥 잘 주고 있느냐', '탄이 아픈 데는 없느냐' 하시며 탄이의 안부만 확인하고 전화를 끊으신 적이 한두 번이 아니다.

온갖 사랑을 독차지한 우리 집의 막내 탄이. 어딜 가나 사람을 잘 따르고 좋아해서 누구한 테나 척척 안기고, 핥고, 아무 어깨에서나 기대서도 새근새근 잘 잤다. '슈나우저'라고 찾아보면 사냥개라고 나오던데. 쟤가 사냥개라고? 뭔가 정보가 잘못된 것이 아닌가 싶었다.

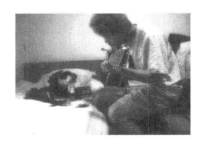

탄이는 내가 내 방에서 기타를 치면서 노래를 부를 때면 내 침대 위로 휙 뛰어 올라와 내 기타와 기타를 치는 내 손을 유심히 보곤 했다. 갸우뚱 갸우뚱 하며 노래를 들어주는 것 같기도 했다.

거칠게 호흡하는 탄이를 침대 위에 눕혔다. 의사 선생님은 탄이와 얼마든지 충분히 마지막 시간을 가져도 좋다고 했고 중간에 생각이 바뀌어도 좋다고도 말씀해 주셨다. 몇 백만 원이 들어도 좋으니 수술을 해달라고 하셨던 아버지를 의사선생님은 '안타깝지만 탄이는 수술을 버틸 체력이 없다.'시며 달래셨다. 그랬다. 수술은 의미가 없었다. 수술을 버틸 체력이 없었고, 눈도 잘 보이지 않았고, 귀도 잘 들리지 않는 노견... 탄이는 10년 만에 우리랑 이별할 수밖에 없는 상태가 되었다. 안락사를 결정하는 건 쉽지 않았다. 의사선생님의 '지금 탄이가 느끼는 고통은 말기 암 환자가 겪는 고통과 비슷할 것'이라는 말씀을 듣고 나서야 우리 가족들은 탄이의 강제적 이별에 동의했다.

난 이온유에게 탄이와 마지막 인사를 하라고 했다. 이온유는 탄이의 등을 쓰다듬으며

"탄아. 잘 가. 안녕. 아프지 마."

자신의 인사를 듣고도 탄이가 아무런 반응이 없자 '탄이가 아무 말도 안 해. 이잉......'하며 이온유의 눈에 눈물이 맺혔다. 나도 탄이에게 마지막 인사를 했다. 내 인사에도 탄이는 아무런 답을 하지 못했다.

탄이를 보내던 마지막 날 그때 당시에 내가 했던 말은 아직도 내게

또렷하게 남아있다. 맹목적인 사랑을 받은 주제에 또 지키기 어려운 약속을 나 혼자 탄이에게 했던, 그때 그 말 말이다. 그때 아내에게도, 또 아버지와 어머니, 누나와 조카들에게도 해주지 않았던 그때의 내 마지막 인사를 이 책에 남긴다.

"탄아. 고마워. 네 덕분에 우리 가족이 얼마나 행복해졌는지 아니? 탄이 덕분에 우리 가족이 함께 신나게 웃고, 대화하고 했었다. 정말 고마워. 하늘에 가서는 절대 아프지 말고 탄이답게, 씩씩하게 잘 뛰고, 잘 먹고, 잘 놀 길 바래! 나중에 꼭 다시 만나자! 내가 하늘나라에 갈 때 꼭 마중 나와 줄 거지? 그땐 산책도 더 많이 하고, 더 많이 놀아 줄게. 잘 가. 탄아."

탄이의 눈가도 촉촉하게 젖어있는 걸 봤다. 그러니 답을 듣지 않아도 된다.

그렇게 탄이와 인사를 하고 나오는데 이온유가 물었다.

"탄이는 이제 어디에 가는 거야?"

난 공연기획자 아빠다. 예술적인 대답을 해줘야 했다.

"응. 탄이는 이제 하늘의 별이 되는 거야."

그때 이온유가 했던 대답도 예술적이다.

"그렇구나. 그럼 맨날 밤마다 보면 되겠네."

이온유가 나보다 낫다.

탄이 다섯 살 때. 짜식. 미남이다.

연장전 :

양희경을 닮은 사람

이 분을 담을까 말까를 고민했습니다.
글이 너무나 길어질 것 같다는 생각 때문이었습니다.
전체적으로 전반전, 쉬어가기, 후반전으로 구성된 이 책의 흐름? 또는 균형이
깨질까 봐 걱정도 되었습니다.
그러나 결론적으로 이렇게 생각했습니다.

'대체 이 분을 담는 데에 흐름이 무슨 문제이고, 균형이 무슨 문제인가'

제가 오롯이 혼자 쓴 이 책에
이 분을 빼놓을 수가 없었습니다.

양희경을 닮은 사람

탤런트 양희경을 닮았다. 멀리서 그녀가 웃는 모습을 볼 때면 진짜 양희경 씨와 비슷하다. 그녀는 부정하겠지만.

또 말투는 양희경의 언니 양희은을 닮았다. 뭔가 단호하고 때론 점 잖이, 그러다가 웃을 땐 '호탕하다'는 표현에 어울리게 껄껄 웃으신다.

그러니까 사실, 즉, 현재는, 미스코리아 몸매의 '가녀린 그녀'와는 거리가 좀 있다. 난 나름 운동선수 출신이다. 초등학교 시절 수영선수 를 했었는데, 그럼에도 그녀에게 팔씨름을 이기려면 정말 꽤 많은 힘 을 모았어야 했다. 늘 씻기 싫어 도망 다니던 블랙 슈나우저 '탄이'를 쥐포로 유혹한 후 강한 어깨와 팔 힘을 써서 한 손으로 아이를 부여잡 아 강아지 샴푸를 풀어 벅벅 씻기던 그녀. 양희경과 양희은을 닮은 그 녀. 그러나 10살이 넘어 무지개다리를 건너는 탄이의 마지막 날, 그 녀는 그 녀석이 마지막 가는 모습을 끝내, 차마 보지 못했다. 그리고 는 '다시는 강아지를 키우지 못하겠다.'하셨다. 겉모습만 양희은, 양희경일 뿐 그녀의 속내는 사실 아이유만큼 여렸다.

커서 뭘 해야 하는지를 세차게 고민하는 시기인 내 대학 시절, 거실에 앉아 이런저런 자격증 정보지와 몇몇 기업의 입사시험 기출문제, 면접 문제 출력물들을 번갈아 보고 있는데, 그녀가 호기심이 가득한 눈으로 출력물들을 바라보았다.

그녀 : "이게 다 뭐래? 아유 복잡해! 보기만 해도 눈이 도네!"

나 : "내가 정작 하고 싶은 일엔 이런 게 필요 없는 거 같은데 다들 이걸 사더라고."

그녀 : "네가 하고 싶은 게 뭔데? 그럼 그냥 그걸 해"

나 : "내 꿈은......"

그러다가 나도 그녀에게 무심결에 물었다. 정말 아무 생각 없이. '꿈이 뭐였어?'라고.

늘 하루의 시작을 남편의 아침식사 준비와 와이셔츠 다림질로 시작하는 반복적인 생활을 수십 년째 해왔던 그녀. 그런 모습 때문에 한때 '저게 뭐 그리 좋다고 열심히 하시지?', '왜 저리 재미없게 사는지...' 생각하며 안타까워했던 적이 많이 있었다. 사실 '꿈이 있긴 했어?'라고 물으려다가 말이 잘못 나온 감이 없지 않아 있었다.

'꿈이 어딨어~ 그냥 사는 거지'라는 식의 대답이 올 줄 알았으나,

갑자기 빨래를 접던 걸 멈추고 약간 정면 15도 위를 바라보며, '난 국어선생님이 되고 싶었어.' 하는데, 그때 내가 본 그녀의 눈은 어렸을 적 어린이날 내 아버지가 장난감 가게에 들어가 '뭐든 골라봐! 아빠가 다 사 줄게!' 했을 때의 행복한 고민을 하던 그때 내 눈, 그때 그 순간의 내 눈을 보는 듯했다.

당신의 생각을 어딘가에 써두는 걸 좋아했다고 했다. 책 읽을 때 그 책이 재미도 있었지만 나도 한번 이런 책을 써보고 싶다는 막연한 생각을 했었다고 했다. 또 어떤 책을 읽고 나서는 '이런 건 나도 쓰겠다.' 한 적도 있었다고 했다. 그 책은 거침없이 늘 우리의 식탁 위로 올라왔다고 했다. 뜨거운 냄비에 나무로 만든 식탁이 타면 안 되니까. 그런 책들은 그런 책들대로 또 자기만의 가치 있는 역할을 그녀에게 부여받았다.

그리고 자신이 학생 시절에는 얼굴도 모르는 군인들한테 편지를 쓰는 시간이 있었는데, 다른 친구들은 그걸 그렇게 힘들어했다고 했다. 근데 자신은 그것이 전혀 힘들지 않았었다고, '그게 뭐가 어렵지? 그냥 생각나는 것들을 주욱 쓰면 되잖아?' 한다.

내 짧은 질문 '꿈이 뭐였어?' 한 마디에 이런 많은 얘기들을 했다. 쉴 새 없이. 누가 물어봐주길 바랐던 사람처럼.

'꿈이 있긴 했어?'라고 물어보지 않은 나 자신이 그렇게 대견스러울 수가 없었다. '꿈이 있긴 했어?'가 아닌 '꿈이 뭐였어?'라고 물어본 무의식을 허락해 주신 신께 깊이 감사드린다.

얼마 전이다. 이런 위의 기억들이 떠오른 건.

늘 습관처럼 오른쪽 어깨를 왼손으로 주무르듯 만지는 그녀의 모습을 '예술적으로' 바라보던 얼마 전이다. 그래. 그녀는 그 무거운 다리미를 쓰며 하루를 시작했지. 어느 날 그녀의 남편이 출장을 갈 때면 출장 기간 내 모든 일정에 말끔히 다려진 셔츠를 새로 입을 수 있게 서너 벌을 다리는 일도 많았다. 그 구식 다리미. 엄청 무거웠던 기억이 나한테도 생생하게 남아있다.

그렇다. 그녀에겐 그것밖에 방법이 없었을 것이다. 당신에게 주어진 현실에 최선을 다하는 방법 말이다. 회사에 다니는 남편이 밖에서 소위 '꿀리지 않도록' 할 수 있는 방법을 무엇이라 생각했을까. 비록 지갑에 두둑이 용돈을 넣어주진 못하지만 그 두둑한 용돈보다 더 빛나는 희생과 헌신, 정성으로 가족들을 위해 하루하루를 사는 것이 그녀의 사명이라고. 그중 하나가 남편의 와이셔츠를 날카롭게 다려내는 것이라고.

그녀는 그렇게 자신의 꿈을 포기하고 그렇게 살 수밖에 없었을 것이다. 자신의 꿈을 자신이 아닌 다른 사람들의 행복과 맞바꿨다는 게 내 눈에 명확히 보였다.

평소 보이지 않던 것이 또 보였다. 그래. 맞아. 그녀의 침대 머리맡에 붙어있는 화장대. 거기에는 화장품보다 늘 책들이 더 손 가까운 데 있었지. 그녀가 아직도 그런 마음으로 '책'을 대하고 있었던 것이 아닐까.

'아니 왜 멀리 바다 건너 해외여행까지 와서 책을 봐요?'

'그런 책은 뭐 하러 사요~ 재미도 없어 보이는데~'

'책이요? 에이~ 그냥 빌려서 보는 게 어때요?'

내가 과거에 했던 철없는 멘트들이 그녀에게 어떻게 들렸을지 생각하면 그 어떤 내 소중한 걸 신께 내어주고서라도 과거로 되돌아가고 싶다. 그게 그녀의 꿈이었는데.

내가 무대에서 연기하고 싶었고, 노래하고 싶었지만 그걸 이루지 못해서 그걸 하는 사람들의 주변에서 공연기획자, 연출자로 살아가는 것처럼, 그녀도 그녀의 꿈을 그저 가까이에 두고 싶었던 거였을 텐데.

그러고 보니 그녀의 글은 사소한 내용임에도 표현이 사소하지 않았다. 그녀가 즐겨 하는 포스트잇 메모에서 그녀의 사소하지 않은 실력들이 떠올라 내 눈앞에 펼쳐져 보였다.

'냉장고에서 과일 꺼내 먹어'를 그녀는 이렇게 표현했다.

'냉장고 열면 맨 위에 있는 노란 통, 그 안에 네가 이 세상에서 제일 좋아하는 과일 있다. 뻘건 거' (딸기)

또 '와서 반찬 가져가'라는 표현을 그녀는 이렇게 표현했다.

'슬슬 냉장고가 새것 같아졌을 텐데 그럴 거면 아예 코드를 빼놓는 게 낫지~'

그녀를 예술적으로 바라보자 그녀의 삶 속 사소해 보였던 흔적들이 예술작품으로 다가와 내 머리와 마음에 '감동'으로 부딪혀 맺혔다.

그에 반해 난. 난 어떻게 했지?

문득 그녀와 주고받은 문자메시지를 열었는데, 온통 내가 그녀에게 보낸 문자는 이렇다.

'지금은 전화를 받을 수 없습니다.'

'나중에 전화드려도 될까요?'

'네~'

'네~ 밥 먹었어요.'

답답하기 짝이 없다 진짜.

그녀의 손글씨 또는 마음이 닿은 모든 게 소중해졌다. 그녀의 메모를 받을 수 있는 여러 가지 다양한 방안들을 생각 중이고 곧 실천에 옮길 예정이다.

며칠 전.

그녀가 또 오른쪽 어깨를 왼손으로 주무르듯 만졌다. 그녀를 예술적으로 바라보기 전이었다면 난 뭐라고 했을까.

'맨날 아프다, 아프다 그러지 말고 병원에를 가요! 아 돈이 없어 보험이 없어?'라고 했을 수도. 뜨끔하다.

이제는 다르게 보이는 그녀, 자신의 꿈을 다른 이들의 행복을 위해 후순위로 저만치 멀리 미뤄버린 그녀. 내게 감동을 주기 위해 늘 노력해왔던 그녀에게! 나도 소박한 메시지를 담아 대화하고 표현해야 한다. 이렇게라면 어떨까.

"엄마! 어디 아픈 데 없으시지? 내년 봄에 아들이랑 여행 한번 갑시다."

그녀가 신이 나서 병원에 가길 바라면서.

이야기를 마치며

이야기를 마치며

응. 앞으로도 나 계속 이렇게 살아보려고.

내 생각대로.

내 방식대로.

내게 있어 '사람답게 산다'는 것은 이렇다.

남에게 피해를 주지 않는 일로 내가 쓸 돈을 벌면서,

(그것이 내 것이든 내 것이 아니든) 편히 내 몸을 뉘여 잠을 잘 곳이 있고,

내가 모델이 아니기에 그리고 옷걸이도 뭐 그닥... 그저 다른 이들을 만났을 때 그들이 나와 함께 있음을 부끄러워하지 않을 정도의 옷 정도는 입을 수 있고,

가끔 어쩌다 두어 달에 한 번 정도는 내 몸에 소고기를 넣어주기 위

해 아웃백 스테이크 하우스에 갈 수 있는,

　이 정도로 살고 있다면,
　그리고 큰 어떤 잘못을 저지르지 않는 한 이것들이 확 무너져 내릴
정도가 아니라면,

　남들이 만들어놓은 기준과
　남들에게 뭔가 보여주어야 한다는 책임감 같은 건
　모두 다 철저히 배제한 채

　내가 행복할 수 있는 공간에서
　서로에게 응원과 힘이 되어주는 사랑하는 이들과 함께

　온전히 '나'를 위해, 그리고 내 '행복'을 위해
　내가 가진 시간과 노력의 일부를 아낌없이 소비해가면서
　내가 가진 생각과 의견들을 다양한 방식으로 표출, 표현하면서
　내 존재감을 내가 느끼며 살아가는 것.

　이것이 내가 정의하는 '사람답게 사는 것'이다.

　하루하루를 이렇게 채워나가다 보면 언젠가는 떠날 날이 오겠지.
　또 한 달, 한 달을, 한 해, 한 해를 이렇게 채워나가다 만나는 내 마

지막 날은

　'후회'와 '아쉬움'이 없는 순간일 것이라 믿는다.

　풍부한 놀 거리와 즐길 거리, 함께 해왔던 아름다운 사람들과의 축제의 시간을 보내고

　'우연히 오게 된 내 인생, 원 없이 잘! 놀다 갑니다!'
　를 외치며 마지막 인사를 할 수 있기를 기대한다.

　물론 쉽지 않겠지.
　가쁜 숨을 몰아쉬며 정신없이 보내는 날들이 있을 수 있고,
　사람에게 상처를 받아 아파하고 괴로워하며 흔들릴 수도 있겠지.
　사랑하는 이들을 먼저 떠나보내거나, 또는 여러 소중한 관계나 조직을 잃으며 슬픈 날을 보낼 수도 있을 거야.

　그렇지만 내 삶의 안정과 행복은 오롯이 나만 컨트롤할 수 있는 것이기 때문에
　내가 정의한 '사람답게 산다는 것'을 마음속에 새겨 잊지 않으려고 해.
　아직도 난 하고 싶은 것이 너무나 많거든.

　힘든 사람들을 돕고 싶고,

아픈 사람들의 이야기를 들어주고 싶고,

관심이 필요한 곳에 관심이 집중되도록 기여하고 싶고,

후배들에게 나보다는 더 나은, 수월한 미래를 만들어주고 싶고,

사랑하는 사람과 한적한 봄 꽃길을 걸으며 두런두런 얘기 나누고
싶고,

사랑하는 이가 하고 싶다는 것이 있으면 그걸 더 잘 즐길 수 있게
해주고 싶고

이렇게 하고픈 것이 많은데.

뭔가에 이끌리듯, 끌려가듯 수동적으로 맞춰가며 해결해 가면서

'살아가는 삶'이 아닌 '살아내는 삶'을 사는 건 너무나 서글프니까.

무엇이 소중한 가치이고,

어떤 삶이 가치 있는 삶인지

계속 고민하고 갈등하며 행복을 위해 치열하게 살아가는 것.

저 이렇게 치열하게 살아보려고요.

부디 함께 하시지요.

제 방식대로 살 수 있도록 응원해 주세요.

저도 당신의 삶, 당신만의 기준과 방식을
진정 존중하며 응원합니다.

"제가 책을 쓰고 있는데요. 당신의 이야기를 좀 담으려고요."

"어머. 안돼요~"

책에 실명이 등장할 수도 있고 하니 동의를 구해야 하기에 종종 오랜만에 전화를 드리게 됩니다. 목소리를 들려드리며 부탁을 드리는 것이 도리인 것 같아서요. 처음엔 대부분 '부끄럽다'. '안된다' 웃으십니다. 저는 그 웃음 속에서 '허락'의 메시지를 느끼게 됩니다.

제가 그렇게 못된 삶을 살지는 않았나 봅니다.
허락해 주셔서 감사합니다!

제가 전화를 드린 모든 분들은 제 인생에 인상적인 기록으로 남아 있는, '내 삶 속 소중한 자산'이시기에 책을 쓰는 내내 당신들 생각에 싱글벙글 웃으며 글을 썼습니다. 물론 탄이에 대한 부분을 쓸 때는 울다가 웃다가를 반복했지요. 당시 스타벅스 인천논현점에서 이어폰을 꽂은 채 탄이 부분 글을 쓰고 있었는데 옆 테이블에 앉아계시던 여사님께서 슬쩍 건네 주신 스타벅스 티슈 뭉치를 잊지 못합니다.

너무나 소중하고 인상적인 분들이지만 책에 담지 못한 분들도 많습니다. 중요도나 우선순위 문제가 아님을 말씀드리며 제가 출간할 다음 책에 바로 당신이 등장하실 예정이라는 점도 함께 말씀드립니다.

책을 쓰고 읽으며 퇴고하고 하는 과정이 솔직히 마냥 쉽지는 않았습니다. 감정이나 상황을 더 잘 설명하고 싶은데 그것들이 글자로 잘 표현되지 않을 때면 제 언어 수준과 표현능력의 한계를 느끼며 (전 담배를 피우지 않습니다만) '아, 이래서 사람들이 고민이 깊어질 때 담배를 입에 무는구나...' 싶었습니다.

결국 이렇게 책을 완성하면서 에필로그를 쓸 때면 감사한 분들의 성함과 그분들의 표정이 영화 크레딧 장면처럼 제 머릿속 어딘가를 타고 오릅니다. 끊임없이요. 그분들 덕분에 제가 책을 쓸 수 있고, 행복할 수 있고, 힘을 내어 살아낼 용기를 얻습니다.

이 책에 등장해 주신 모든 분들에게 감사의 말씀을 전합니다.

약속드리겠습니다.
이 책을 읽으신 당신을 마주할 기회가 행운처럼 저에게 온다면
당신의 이야기도 제가 꼭 들어드리겠습니다.

감사합니다.

예술적으로 바라보기

발행 2024년 07월 07일

지은이 이성모

디자인 조미진

펴낸이 정원우

펴낸곳 글ego

출판등록 2019.06.21 (제2019-000227호)

주소 서울시 강남구 강남대로 118길 24 3층

이메일 writing4ego@gmail.com

홈페이지 http://egowriting.com

인스타그램 @egowriting

ISBN 979-11-6666-523-3

“

詩를 부르는 독백

詩를 부르는 독백

발행　　　2024년 01월 03일
저자　　　고옥귀
펴낸이　　한건희
펴낸곳　　주식회사 부크크
출판사등록　2014. 07. 15(제2014-16호)
주소　　　서울특별시 금천구 가산디지털1로 119 A동 305호
전화　　　1670-8316
E-mail　　info@bookk.co.kr
ISBN　　　979-11-410-6362-7

www.bookk.co.kr

"

詩를 부르는 독백

악산 고옥귀 지음

BOOKK

목차

詩를 부르는 독백
그래서
詩가 아니다.

생각하고
느꼈고
뱉었던 독백이었다.

굳이
제목이 있어야 한다면
그건
독자의 몫이다.
독자의 몫이기에 나는 제목을 붙일 수 없다.

2023. 12. 25.

악산 고옥귀

시가 무엇을 향해 가는지

좀 더

분명해졌으면 좋겠습니다.

-악산 고옥규

一 부

그때는 몰랐지만

‖

잊어도 좋은 사람은 없었다.
잊을 수 있어 잊었을 뿐이다.

‖

밤이 깊었다.
찬란하게
사랑처럼

‖

꿈을 꾸었다.
날개를 달고 날았다.
내 날개는 너의 옷깃으로 꾸며져 있었다.

꾸고 싶었던
꿈이었다.

＝

떠나보냈는데
떠나지 않았다.
때 묻은 소매 끝처럼 지워지지 않는 情인가 보다.

‖

청명한 날에
하늘을 본다.
구름이 자유롭다.
너를 생각하는 나만의 자유처럼

‖

후회했다.
미워했던 것을
미움도 한때의 그리움이었다는 걸
그때는 몰랐지만

‖

소낙비를 그리워했다.
비에 젖고 싶었다.
그리움이 그렇게 가슴을 적셨듯이.

‖

전화벨이 울렸다.
잠결에도 외쳤던 전화번호다.
핸드폰을 들었다.
들려 오지 않는 목소리
깜깜한 밤에 꿈도, 그리움도 어둡다.

‖

울고 싶은 밤이다.
별이
눈물처럼 떠 있다.
똑똑
한 방울만이라도
떨어져 줄 눈물
그래야
같이 우는 거지.

‖

멀어져 갔다.
아주
멀리
불러도 대답할 수 없는
그
먼 곳은
대체
어디일까

‖

사연이 깊었다.
세월만큼이나
더러는 잊어도 좋은 사연이
세월의 사이 사이에서 허우적거린다.
혼자
힘들었던 게 아니라고 시위하듯.

‖

봄의 시작은
연두빛으로 피어나는 어린 잎새에서부터다.
여린
연두빛 잎새는 어린 아기의 볼처럼 부드럽다.
더 이상
초록으로 짙어지고 싶지 않았을지도
모를
그들 잎새들에게
봄은
진정 잔인했던 걸까.

‖

어머니의 노래에는
눈물이 대롱대롱
어머니의 노래는
자장가가 아니었다.
어머니의 노래는
품지 못했던 사랑 노래였다.

‖

아버지는
대문에 들어서면서부터
어머니를 부른다.

아버지는
집안에 발을 들여놓으며
아궁이부터 살핀다.

아버지는
가마솥 뚜껑을 열어보고
부뚜막을 만져본다.

식구들이 끼니를 채웠는지를
확인해 보는
아버지의 가족 사랑

아버지는

그

욕심 하나로 일만 하셨다.

‖

술을 마시고 싶었다.
취하도록 마시고 싶었다.
그리움으로 취하고 싶어서였을까
그날의 술 생각은

‖

내
젊음에는 사랑이 없었다.
배를 채우고 싶은 욕망으로 허덕거렸다.
그
가난한 깊이로부터 찾고 싶었던 건
배를 채우고 싶은 욕망이 아니라
가슴을 채울 사랑이었더라면.

사랑이었더라면
사랑이었더라면
그
이유로 또 한 번의 生을 갈망한다.

‖

기차 소리를 듣는다.
칙칙폭폭
칙칙폭폭
세월이 흘러도 변하지 않는
기차 소리가 좋다.
칙칙폭폭
기차는 어디쯤에서 멈추는 걸까

‖

갈매기는
먹이를 찾으려고
선창을 맴돌아도
쫓는 사람은 없다.

까마귀는
전설 때문에
갈 곳을 잃고 방황한다.
까마귀의 전설을 누가 지어냈을까.

‖

뒷동산 할미꽃
무덤가에서 많이 핀다는 할미꽃
들녘에서 흔히 볼 수 있는 할미꽃

산소 가는 길에
할머니는
할미꽃 이야기를 구수하게 해 주셨다.

우리
할머니는 할미꽃으로 피지 못하셨나 보다.
할아버지의 산소에는 할미꽃이 피지 않았다.

내
할머니 모습 닮은
할미꽃이 보고 싶었다.

‖

바람개비 흔들며
골목을 누비던
우리
어린 시절

바람아
불어라
바람개비 돈다.

바람아 불어라
바람개비
돌게.

二 부

돌아보니 길은 보이지 않고

‖

종소리는
여운이 길다.
깊은 잠에서 깨어나게 했고
잠든 생각까지 깨어나게 한다.

그
종소리가 사라졌다.
누군가의 잠을 설치게 한다는 이유로
사라진 종소리

종소리의 여운만큼
아쉬움이
길고 깊다

||

바닷가에는
모래알

하늘에는
별이 총총

나는
모래알도 되고 싶었다.

때로는
별도 되고 싶었다.

그렇게
영원히 존재하고 싶어서일까.

‖

꿈을 먹는다.
배도 부르지 않을 꿈을 먹는다.

꿈을 먹을 때마다
욕망이 생겼다.

인간으로서의 욕망
꿈에서부터 깨어나더라.

Ⅱ

로또 복권에 대한 거대한 희망
그건
결코 헛된 환상이 아니다.
어느 날엔가
내게 불쑥 찾아올 복이다.
그래서
로또 복권이다.

‖

짝을 잃었다.
사람은
짝을 잃어도 산다,

짝 잃은
새는
혼자 살지 않는다던데

‖

복숭아의 과즙은
달콤하다.
시지도 않고
詩처럼 달콤하다.

‖

걸었다.
먼 길이었다.
지칠 줄 모르고 걸었던 길

돌아보니
길은 보이지 않고
사연만 쌓였더라

눈물로도 젖었고
아픔으로도 젖었던
내 퇴색된 사연아

‖

꾸미지 않아도
예쁜 내 사람

분 바르고
연지 바르며 더 예쁜 내 사람

입술에 침도 묻히지 않고
그렇게 말해주던 그대가 한없이 그립다.

‖

퇴근 무렵
약속도 없었는데
우연히 만나게 된 친구였다.

반가움에
맥주 한 잔 하자 했다
편의점 테이블을 마주하고

맥주의 거품으로도
씻어지지 않을 것 같은
친구의 이야기는

상사에 대한
불만과
불평이었다.

어지간히 고되었을
친구의
오늘 하루가
맥주 한 잔으로
씻겨지기를
바랬을 뿐이다.

||

급여를 받던 날
울고 싶었다.
엉엉 소리라도 내며 울고 싶었다.

한 달 내내 이날만
기다리며
꾸역꾸역 살았는데

고무줄처럼
늘어지지 않는 급여는
메울 데를 메워 주지 않는다.

구멍 난 곳을
메우기 위해 오늘도 꾸역꾸역 산다.
다음 달에는 복권 같은 급여를 받을 수 있을지

‖

점심 한 끼를 때우려고
식당에 들어섰다.
한 그릇의 갈비탕이면 족하다 싶었는데

식당의 테이블마다
고기 굽는 냄새로 진동을 했다.
갈비탕 한 그릇 주문은 종업원의 귀에 들어가지 않는
모양이다.

한참을
기다려도
주문한 음식은 나오지 않고
종업원은 바쁜 듯이 스쳐 지나가기만 한다.

자존심에

식당 문을 박차고 나왔다.
손님 음식 곧 나오는데요, 종업원이 외쳤다.

이제
너그 집에는 안 온다.
오라고 하지도 않겠지만

홀대받은 기분으로
혼자 중얼댄다.
망할 놈의…

‖

그날
오후는 쾌청했다.

치악산 산등성은 선명했고
초록은 더 초록다웠다.

저
거대한 산 치악산

처음 보는 것처럼
새삼스럽게 느꼈다.

변하지 않을
불멸의 모습으로 우리 고장을 지켜주고 있음을.

‖

버스를 탄다.
오가는 버스 정류장

정류장 모퉁이에는
빈 종이 박스가 쌓여 있다

버려진 것이라 여겼다.
할아버지 한 분이 종이 박스를 들고 와 거기에 쌓는
것을 보기 전에는.

흔한 리어카도 없이
손으로 주어 온 종이 박스를 거기에 쌓아 놓으시는
모양이다.

하루 종일

그렇게 종이 박스를 주어 와 모으시는데

저걸
얼마나 받는다고
개미 먹이 물어오듯
주어 모으시는 걸까

‖

굴뚝에
피어오르는 연기
그
연기를 보면서
밥 익는 소리
밥 찌는 소리
갖가지 상상으로
침 흘렸던 시절
굴뚝은 그 추억마저 삼키고 사라져버렸다.

‖

꽃집에 들렸다.
꽃집 아가씨가 아니라
꽃집 총각이었다.

어쩌다 총각이 꽃집을 차렸을까.
궁금한 물음에
총각은 시원스레 답한다.

남이 안 하는 걸 찾다 보니
그렇게 됐답니다.
남자가 하는 꽃집 그럴싸하게 여겨졌단다.

꽃집이
번창하기를 바라면서
문을 나섰다.

남이 안 하는 걸,
찾는다는 건
좋은 발상이지.

‖

두 아이가
길에 서 있었다.

막대사탕을 빨고 있는
아이

한 아이는 그 모습을
유심히 지켜본다.

못 본 척
막대사탕만 빨고 있는 또 한 아이

두 아이는
무슨 생각으로 이 순간을 기억하게 될까

||

별이 무너지는 밤이 있었다.
눈물이 눈을 삼킨 날이 있었다.

세상이 까맣게 느껴졌던 그 날
그대가 내 곁에서 떠났던 날이다.

별이 무너지는 그 밤에
그대는 그곳으로 향했다.

‖

교실 안
점심시간을 알리는
벨 소리에
교실 안은 왁자지껄

책상을 모으고
옹기종기 모여앉아
도시락 펼치는
아이들은 즐겁다.

진봉진
그놈은 한 번도
도시락을 싸 온 적이 없었다.

동치미 무우 하나

들고 일어나
교실 창틀에 걸터앉으며
우적우적 먹어대는
동치미 무우
신기한 듯 불쌍한 듯 바라보노라면

너그도
먹어볼래?
엄청 맛있다.

성급한 친구 하나
얼른 받아오면
진봉진은 어김없이 외친다.

니는
내 무우 먹었으니까
너 도시락 날 줘야지.

억양도 부드럽게
동치미 무우와
도시락 바꾸어 버리는
진봉진
햇살
좋은 날
그놈을 생각하며
웃음이 번진다.

어디선가에서
잘
살고 있겠지.

타협에
능숙한 기지를
발휘해서 말이다.

‖

엊그제만 해도
그녀는
내 여친이었다.

비가 주룩주룩 내리던 밤
느닷없이 찾아와
이별을 선언하더라

무엇이 잘못되었을까.
무엇이 우리의 만남을
시기했을까.

아니다
시기가 아니다
궁핍한 나를 그녀는 부끄러워했다.

부끄러웠기에
이별의 결심도
쉬웠는지도 모른다.

그래
나도 부끄럽다
내 궁핍이.

그래
나도 안다.
알지만 그 이유로 이별이라면

잔인하다
잔인하다
정말 잔인했어!

‖

아르바이트는
참 시시하다
재미도 없다

시간제 아르바이트
내
시간의 단가는 너무 낮다.

시시하고
재미없어
팽개치노라면

내
시간의 단가는
그마저 놓치게 된다.

참
시시한 아르바이트
참
재미없는 아르바이트

제기럴
제기럴
아르바이트 시간에 늦을세라 뜀박질로 간다.

나, 때로는

별이 되고 싶었다.

−고옥구

묻어두었던 기억들

‖

소풍을 갔다.
울타리처럼 빽빽이 서 있는 나무들이며
들녘 빈터는 잔디를 깔아 놓은 듯 부드럽다.

양은 도시락을
채우고 있는 보리밥
어렵게 장만했을 어묵 반찬

침부터 삼키고
밥을 먹는다.
한 젓가락의 어묵 반찬은 꿀맛이다.

어머니의 손맛이
진하게 느껴지는
그 날의 밥보다 더 맛있었던 밥은 없었다.

‖

시청 앞이다.
시위대를 만났다.

군가같은
음악이 흐르고

똑같은 머리띠를 한 사람들
열띤 웅변하듯 외쳤다.

그들의 외침은
절실하고 절실하다.

눈물로 젖고 있는 손수건 같았다.
언제쯤이면 저 젖은 손수건이 마를까

시위대의
절실한 외침은 시청 담 너머로 뛰어가는데

‖

개미 한 마리
거실 바닥에서 기어 다니고 있었다.

있어야 할 곳이 아닌 곳에서
모습을 드러낸 개미

죽어도 마땅했다
죽이지 않으면
내가 물린다는 생각이 앞섰다.

손을 들어
내려치려는 순간
실낱보다 가느다란 개미허리
안쓰러움에 손을 멈추었다.

못 본 채 돌아섰다.
허리가 꺽이지 않게 거실을 벗어나기를 바랬다.

‖

이른 새벽에는
그림자도 잠을 잔다.

아무것도 움직이지 않는 것 같은
고요를 안고

새벽을 침묵하고 있지만
이 새벽의 침묵은 소란의 시작이다.

‖

하이얀 털이 예뻤던
강아지 한 마리
이웃집 아저씨가 키우라고 주셨다.

예쁘고
재롱스럽기가 이를 데 없어
귀여움을 독차지하며 컸다.

어느새
훌쩍 커버린 강아지는
덩치가 큰 어른 개가 되었다.

시골에서 키워할 개인데
주인은 시골에서 있을 상황이 아니고
아파트에 데려가기에는

감당이 어렵다.

주인 없는 시골 빈집에
덩그러니 혼자 매어놓고 돌아서니
눈치가 있었는지 목을 놓고 울어 댄다.

이웃집에 밥 줄 것을 당부하고
돌아서는 눈시울이 뜨거워진다.

외로움을 감당하면서
살아내기를 바라며

이놈아
사람도 이별하며 산다
이렇게라도 살 수 있으니 참고 살아야지
먹이는
거르지 않고 갖다주마
내 약속을 알아들었나, 갑자기 울음을 그치네

‖

술이 그립다
술 친구가 그립다

이
밤에

외로움을 달래 줄 술
그 술 한 잔 따라 줄 사람 하나가 그립다

술이 그리워지는
밤에는

사람도 그립다.
외로움을 달래 줄 사람 하나 그립다.

‖

보고 싶음은 병이더라
열병같은 병이더라

별이 보고 싶으면
밤하늘을 보고

달이 보고 싶으면
보름날 저녁을 기다리면 되거늘

잃어버린 사람
어디서 찾나

어디서 찾아볼 수 있는지
나는 모른다.

보고 싶음이 병이라는 것도
이제 알았거늘

‖

빨간 우체통은
향수였다.

오가다 만나게 되는
빨간 우체통

누군가에게
편지를 쓰게 하고

그리운 사람에게서
올 편지도 기다리게 했던

길가
빨간 우체통

언제부턴가

하나둘 사라져가더니
어느
거리에서도 잘 보이지 않더라

손바닥 안에서
세상 움직임이 보이는
핸드폰의 위력에
빨간 우체통은 숨어버리기로 작정한 모양이다.

카톡이며
문자며 손가락 움직임으로 해결되는 세상

빨간 우체통도
그걸 모르지는 않았던 게지

∥

휘파람 소리에
연민의 情이 깨어나고

휘파람 소리 따라
길을 걸었던 아득한 추억

휘파람은
여심을 흔들었던 화살이었다.

‖

왼종일
졸고 있는 고양이

세상 근심 걱정 없이
눈꺼풀을 내려놓고 잠만 잔다.

저
깊은 잠 속에서

고양이는
무엇을 꿈꾸는 걸까

‖

시월
문경새재는 아름다움의 극치였다.

문경새재 곳곳이
문화재이기도 했다.

그
속에서도

괴나리봇짐 허리에 차고
과거 보러 가는 나그네가 연상되었으니

문경새재 전부가
문화재임이 틀림없다 싶었다

과거를 품고 있는
문경새재 그 깊숙한 곳으로 발을 들여놓았다.
오늘 나는 과거 보러 가는
젊은 나그네이고 싶었다.

‖

바람이 좋다.
바람아 너가 좋다.
좋은 걸 숨길 수 없어 너를 맞이하려 한다.

거리로 나섰다.
낯선 거리 낯선 사람들
낯설지 않은 바람이 거기에 있었다.

바람의 숨결은
부드럽다.
바람의 기운은 따뜻하다.

오늘의 바람은
아직
겨울바람은 아닌 듯하다.

사계절마다
다른
기운으로 불어오는 바람

바람아
봄비처럼 부드럽게
이슬비처럼 정답게

내
정원의 손님처럼
불어와 다오.

‖

자동차 장난감 같은 까페
특이한 발상으로 열린 까페다 싶어
발을 들여놓았다

입구에 들어서면서부터
눈을 황홀케 했던 자동차 진열대
정교하고도 섬세하게 만들어진 자동차들

세계 각국의 자동차들이
한자리에
다 모인 듯했다.

이만한 자동차들을 구입하려면
어지간한
재력으로는 어림도 없을 텐데

호사를 누리며
살았을
주인의 생활이 곳곳에서 느껴졌다.

취미를
생활로 접목시킨 것 같은 발상이
부럽네

참
부럽네 그려.

‖

사람은
권태를 품고 사나부다.

너무 넘쳐도
금방 싫증이 나고

너무 가깝다 싶으면
종이 두께만큼 간격을 두려하고

의기투합하여
길을 나서도

함께 있다보면
처음처럼 끝이 같지는 않드라.

그놈은 권태였다.
권태가 죄였다.

||

봄날 햇살은
잠자는 욕망을 깨우드라.

어쩌자고
어쩌자고 그러는지 모르겠다.

불끈불끈 솟구치는 욕망에
채찍질하듯 나서 보지만

거리는 무심하더라
시선들은 비켜 가더라

내
존재마저 눈여겨 보아주지 않는

봄날 햇살은
멀리 있는 해 부스러기였을 뿐이더라.

‖

산을 오르는
목적은
사람마다 다르다.

운동이 목적인 사람이 있는가 하면
山氣를 받고 싶어하는
사람도 있다.

산을 사랑하는
사람은
목적을 두지 않는다

의미를
부여하지도 않는다.

그저
산이 좋을 뿐이다.

산이 좋아 산을 오르는 사람들
그 발끝에는 풀잎 하나도 밟히지 않드라.

‖

아궁이에
불을 지펴야만 아랫목이 따뜻했던 그 시절
식구들을 부를 새도 없이 모여앉고 방바닥에는
군용 담요 한 장 펼쳐진다.

한 장의 군용 담요 안에
식구들 발들이 다 모였다.
꼼지락거리기도 하고
발가락으로 집게 놀이도 했다.
장난기가 발동해서
웃고 떠들고 소리 질렀던
그 시절의 가족들이 그리운데
모두들 제각기 날개를 달고 날아갔다.

아궁이도 없고

아랫목을 차지할 방도 없다.
내 어므이
내 아버지
어디에 모시면 우리 가족 그때처럼 모일 수 있을런지
옛일을 더듬으며 졸음에 빠지던 어느 날
나는
가족들이 그리웠다.

‖

방파제
벼랑에 섰노라면

파도가 되고
바다가 되고 바닷물이 되어간다.

수심을 알 수 없는
바닷속을 그려보며

궁전도 만들고
왕자도 만난다.

방파제
벼랑 끝은 또 하나의 나를 그려내었다.

‖

밤하늘을 본다.
칠흙같은 어둠을 뚫고
보석처럼 박혀 있는 별들

촘촘하게도 떴다.
초롱초롱
빛났다.

별 하나면
족할 것을
별 하나에 사랑을 담는다.

어둠 속에서도
길을 잃지 않는
별이라면

그런 별 하나 따러 가련다
그런 별 하나 따러 가련다
사랑으로 반짝이는 별 하나면 족하리라

‖

두 손을 모으고
가슴 앞에 세웠다.
기도하고 싶었다.
감사의 기도를

오늘도
해를 보게 해주심에 감사를
오늘도
살게 해주심의 감사를

위태로운 세상에서
비틀거리지 않고
살게 해주심에
감사를

이렇듯
형언할 수 없이
많은 은총을 받았으면서도
기도에 인색했던

인색함에 용서를
청하는
기도도
함께 들어 주소서

‖

석양에 퍼지는
노을을 바라보며
묵념을 한다.

떠오르는
해보다
장엄한 노을에는

세상사
온갖 사연 스며들었기에
무지개보다 더 아름다워 보이는지도 모른다.

내
인생의 빛도
노을만큼이나 아름다우면 얼마나 좋을까

‖

전생에
어부의 딸이었을까
아니 어부였었는지도 모를 일이지

선창으로
나가며
선창에서 퍼지는 갯비린내가 정답고

바닷가에
섰노라면
파도를 타고 바다를 항해하는 꿈을 꾼다.

해가 지면
만선의 난간에 만국기를 달고
헤엄치듯 달려오는 어선

날마다
그
어선을 맞이하러 선창으로 달려가는

나는
차라리
어부이고 싶다.

‖

나이가 들면서
묻어두었던 기억들이
실타래처럼 풀리더라

미래보다는
과거가
내일보다는 어제를 기억케 하는

삶의 중턱에서
나이를 가늠해 본다.
버리고 갈 게 많은 나이더라.

‖

맥주 한 잔 생각에
운동화 구겨 신고
편의점으로 간다.

파라솔 밑
테이블 하나 비어 있다.
정해진 듯 앉아서 담배를 꺼내 들고

맥주 한 캔에
오징어 말린 안주 사 들고 와
의자에 앉는 순간 더없이 편안하다.

한 캔의 맥주는
목마름을 가시게 하지만
캔을 비울 때까지 이 테이블은 내 것이다

내
소유의 욕심은
이거면 족했다.

‖

노오랗게 물든 은행잎이
떨어질 때쯤이면
놀러 오겠다는 친구 같은 조카

시월아
햇살은 뜨겁게
바람은 부드럽게

은행잎 노오랗게
물들이며
깊어지겠지.

올해 따라
기다려지는
깊은 가을

‖

큰 산
정상에 서서
아래를 내려 보노라면

작은 산들이
둥근 산등성을 이고
동방동방 떠 있다

산이 아니라
들녘에
솟아 있는 소쿠리 같은

큰 산 아래서
보는
작은 산

작은 산에서
올려 다 보는 큰 산
보이는 시야에서 세상은 그려지드라

‖

뱃고동 소리는
여운이 길다.

자동차 크락숀 소리와는
다르다.

차겁고
날카롭고 때로는 신경질적인 크락숀 소리와는 달리

뱃고동 소리는
느긋하게 들린다.

이별의 시간을 주듯
배웅할 시간을 주듯

느긋한
뱃고동 소리는 그래서 언제 들어도 좋은

Ⅱ

통영
세병관 앞에는
아름드리 느티나무가 있었다.

할아버지들의
놀이터였다.
긴 담뱃대 물고 세상 이야기 주고받았던 곳

얼마나
많은 이야기들이
역사를 더듬고 인물들을 논했을꼬

느티나무는
귀담아듣고 간직했겠지만
그곳에 모였든 할아버지들 어딜 가셨는지

한 분도
계시지 않더라

四 부

아픔도 사랑이었음을

‖

잎새들은
낙엽 되어
떨어져도 슬퍼하지 않는다.

돌아올 봄을
기약하며
꿈을 묻어두고 있을 뿐이다.

‖

짝사랑은
가슴에 박힌 못 자욱이다.

‖

햄릿의
고뇌 같은
어둠 속에서도

해는
빛을 보낸다.
눈부시게

‖

그믐달을 보며
아버지 생각이 난다.

울
아버지 좋아하시는 막걸리

그믐달 쟁반에
막걸리 한 잔 따라 드리고 싶어서였지.

‖

흙 내음새
좋았든
시절도 가고

봄날같은 가슴은
억새풀 가지처럼
말라가는데

하늘 보고
소원하는 건
성냥불이라도 켜 줄 사람 하나

그런
사람 그리워하며
타고 싶음은

사람은
그리움으로
사는 까닭이기에.

‖

아버지의 지게는
아버지보다 튼튼했나 부다.

아버지는
먼 길 가셨고

아버지의 지게는
광 속에서 침묵만 하더라.

말없는 지게에는
버리지 못하는 어므이의 마음이 걸려 있었나 부다.

‖

해 질 무렵이면
개선장군처럼
귀가하시는 아버지

아버지의 손에는
새끼줄이 묶인
고등어 한 손

그날 밤
식탁은
황제도 부럽지 않은 반찬이 있었다.

‖

선창에서
멸치 털어내는 날에는
우리 집 잔치였다.

멸치를 털어내는
그물 앞에서
아버지의 목청은 전사처럼 우렁찼다.

물통을 가져오라고
소리치시던 아버지 소리에는
가장으로써의 위엄마저 서려 있었다.

그물에서
떨어진 멸치
한 마리라도 놓칠세라

아버지의 목청은 높아지고
우리들의 손은 바빠졌다.
그 시절의 멸치는 장어보다 맛있었는데.

‖

귀가하시는 아버지의 발걸음은
안방
할머니의 방으로 향한다.

담요 밑으로
손을 넣어보시고
아랫목 온도까지 재어보시는

아버지의 세심함은
어머니를 향한
효심이었다.

아버지의 그런 모습을 지켜보며
살았든 우리였는데
우리는 아버지의 효심에 미치지 못했다.

떠나시는
아버지를 향한
마지막 인사는

아버지
잘
가이소.

아버지의 효심은
등불처럼 밝혀져
아버지 가시는 길을
비추어주시리라.

우리는
그렇게 믿으며
외칩니다.

아버지
잘
가이소.

‖

햇살 쏟아지는
논두렁에서

어므이는 쑥을 캔다.
아직 잎새도 다 피우지 못한 어린 쑥.

어므이의 손길은
분주하지만

광주리의 바닥도 채우지 못하는
쑥

지게 지고
논두렁 지나치시던 아버지는

골난
소리로 외쳐댔다.

"고만 집에 가라."
어린 쑥을 캐는 어므이가 안쓰러웠던 게지

‖

오늘 밤에
누구네 집에
제사란다.

동네에 퍼지는 이 말에
그날 밤
아이들은 잠을 이루지 못한다.

12시가 넘어야
제사가 끝나고
제사를 끝내고 음식들도 나눠 먹었던 그 시절.

함지박을 이고 오시는
아주머니가 그렇게 반가울 수가 없었다.

무지개 빛깔의 시루떡이며
사 등분으로 갈라서 한 조각 담긴 대봉감이며

세상에서
제일 맛있었던
대봉감이었고 사과였다.

어른들은 나물에
밥 비며 드시느라 분주했지만
반건조 조기 한 토막에는 감히 손도 대지 못했다.

내일 아침이면
아버지 밥상에 올라 올까
할머니 밥상에 올라 올까
우리들은 궁금했는데……

‖

우리 동네는
좁은 골목 안을 들어서
초가집들이 옹기종기 모인 곳이었다.

좁은 골목 안
동네 아이들은
칠팔 명이 넘는데

섣불리
동네에 들어설 수 없었던
이유가 있었다.

어른 키도 배가 넘을
긴 대나무를 칼처럼 움켜쥐고
골목 입구에서 보초처럼 서 있는 아저씨

공부하러
서울까지 갔다가
머리가 이상해져 돌아왔다는 아저씨의 사연은
전설처럼 퍼져 있었다.

아이들 하교 시간이면
어김없이
골목 입구에 서서 아이들을 위협했던 아저씨.

어른들이
합세하지 않으면
아이들끼리는 절대 골목 안으로 들어갈 수가 없었다.

무섭고
귀찮았던 아저씨의 보초
우리를 겁주는 아저씨는 또 전설처럼 사라졌다.

골목 안은 평온했지만
그 아저씨의 집에서는
홀어머니의 울음이 멈추지 않았다.

아저씨의 세 번째
전설은
무엇이었는지
우리도
알 것 같았다.

‖

고모네 딸은
심술스럽고 앙살이 심했다.

나보다는
겨우 한 살 위였는데

열댓 살이나 많은 것처럼
굴었다.

조모님이 계시거나
언니 오빠가 옆에 있을 때에는 잘해 주는 척하다가

아무도 없을 때는
혀를 내밀어 부화를 돋구고 꼬집기까지 했다.

내가 울거나 소리치면

자기 집 앞에 있는 오동나무에 기어 올라가거나 숨는
다.

우리 집 앞에는
전봇대가 있었다.

키가 작은 오동나무에 비할 데 없이
컸고 튼튼한 전봇대.

나는 전봇대 위로
기어 올라가 까치처럼 쪼아 부쳤다.

꼬집은 데가 아프지 않을 때까지
고모집 딸을 향해 욕설로 쪼아 부쳤다.

조모님은 말씀하셨다.
그만했으면 됐다, 어서 내려 오이라.

||

배고팠던 시절에
쑥떡 한 개는 보물이었다.

시커먼 쑥떡 한 개
입에 물고

자랑삼아
동네 한 바퀴

신발이 닳도록
뛰어다녔다.

‖

통영
뒷산에는
빨래터가 있었다.

흐르는
냇물도 좋고
군데군데 놓인 바위도 넓었다.

언니들은
그 빨래터에서
이불도 빨고 옷가지도 빨아 넌다.

넓은 바위 위에는
빨아 놓은 이불 펴서 늘어놓고

가져온 빼때기
입 안에 넣고 오물거리며
하루종일 요기가 되는 모양이었다.

배가
불렀을 리 없는데
언니들은 왼종일 빼때기만 씹다가 집으로 돌아간다.

얼마나
배가 고팠을까
그 생각에 눈물만 났다.

‖

살을
에는 듯한
긴 겨울밤

초저녁
잠을 자고 났는데도
밤은 아직도 길다.

한밤중에는
배가 고프다.
허기가 속을 훑어내듯 한다.

큰 언니는
방문을 열고 나가
장독대로 향했다.

동치미 항아리 속
얼음을 깨고
동치미 무 한 개 들고 오는 큰 언니는 개선 장군이
다.

이빨 시리는 줄 모르고
우직우직 씹어 먹었던 동치미 무
그 무맛보다 맛있는 것은 없었다.

‖

새끼줄 엮어서
허리에
두르고

동네
동무들
뒤에 태우고

기차놀이가 전부였든
시절

서울 갑니다
칙칙폭폭
칙칙폭폭

간이역도 없이
기차는
서울에 도착하고

동네 아이들은
만세를 불러대며
볼 수 없는 서울을 향해 손뼉을 칩니다.

‖

미웠다.
뜻이 맞지 않는다고
미워했고

독단적이라고
손가락질하며
미워했다.

뜻이 맞지 않았던 건
그 아이에게도
그 아이의 뜻이 있었음을 그때는 왜 몰랐을까.

독단적이라고
손가락질하기 전에
참 창의적이었다고 칭찬해주지 못했든 내가 미웠다.

미움의 밤샘은
언제나 내 탓이었다는 것을
왜 그때는 몰랐던 것일까.

॥

무심한 듯하면서도
떠오르는
얼굴 하나

지워지지도 않고
사라지지도 않는데
다가서지는 더욱 못한다.

그래도
잊어버리지 않으려고
혼자 애태우는 건

무슨
심사일까.
무슨 까닭일까.

||

수많은
날 들
나날이 소중스럽드라

어느 날
어느 것 하나
쌓아 둘 수는 없었지만

기억 속에서는
생생한 꿈인 듯
아름답기만 하드라.

하늘도
땅도
바람도

내
분신의 일부처럼
몸속에서 일렁거리고 있음을.

‖

우리는
왜
바다가 그리워지는 걸까

수평선 너머
그 너머
신비함이 궁금해서일까

아니면
그리워할 게 없으면
그리워할 게 없으면 슬퍼지기 때문일까

수많은 물음표를 던져보지만
답은 하나였다.
그냥 바다가 그리웠을 뿐이었다.

‖

한때의 나는
기차가 되고 싶었다.

기차가 되어
끝없이 달리고 싶었고

목적지 없는 목적지를 향해
달리고 싶었다.

그렇게
달리고 싶었던 기차

그러나
달릴 수 있는 레일이 없다는 걸

늦게서야
깨달았다.

기차는 달릴 수 있는
레일이 있어야 한다.

레일은
달릴 수 있는 기차를 그리워해야 한다.

이게
사는 의미의 전부였다.

‖

잠이
오지 않는 밤

잠을 잘 수 없을 땐
꿈도 없다.

꿈도
잠 없이는 이루어지지 않는다.

‖

어제는
맑음

오늘은
비

어제와 오늘
사이

맑음도 아니고
비도 아니 오는 날

고요다
침묵이다

Ⅱ

봄, 여름, 가을, 겨울
철마다
날개를 단다.

날지 못하는
날개를
단다.

날 수 없는 날개인 줄
알면서도
날개를 단다.

사계절마다
각기 다른 날개
비록 날지는 못하지만

사람의 날개는
사람마다 각양각색이다
날지 못하는 날개를 달고

사람들은
오늘도
날개 달린 듯 뛰어다닌다.

‖

맑은 하늘을 향해
울려 퍼지는
애국가

8.15
오늘은 광복절
해방된 날이다.

태극기
힘차게
흔들며

애국가도 부르고
광복절 노래도
부르자.

흙 다시 만져보자.
바닷물도 춤을 춘다.
부르자, 부르자 목이 쉬도록 부르자
광복절 노래를

‖

기억은
생생한데
사람이 없네

‖

바닷가에서
무리를 지어
쌓여 있었던 너는

꽃이었다.
바다를 지키는 꽃
파도가 기다리는 꽃

사람마다
밟고 지나갔지만
파도에 밀리면
아픔도 멀어져 버리는

너는
진정

바다를 지키는 꽃이었네.
모래꽃이었네.

‖

바람이고
싶었다.

파도이고
싶었다.

한때는
사랑했고

어느 때는
이별도 했다.

절망 같은
슬픔에

눈물도
말랐다.

바람을 담았다.
파도를 품었다.

가슴으로
밀려오는 건

아픔이었고
아픔이었고

그
긴
아픔은

깊은
사랑이었음을
이제사 알았거늘

내 인생의

빛깔도 노을만큼이나

아름다우면 얼마나 좋을까.

— 고옥구

후기

하느님의 은총으로
눈이 밝아졌습니다.

밝아진 눈으로 바라본 사람들,
그 사람 모두가 사랑이었습니다.

제 눈에서
미움의 가시를 빼 주신 하느님 감사합니다.

밝아진 눈으로
사람을 사랑하며 감사하며 살으렵니다.

2023년 12월 31일

악산 고옥귀